按自己的意愿过一生，

这是一句誓言。

SHAPE YOUR LIFE

按自己的意愿过一生

王潇 著

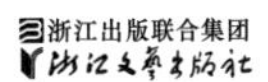
浙江出版联合集团
浙江文艺出版社

Contents | 目 录

Part 4 看，真爱

“生活越难，我就越想你；见的人越多，我就越想你。”

Part 5 不然生活多无趣，不是吗？

“活时尽兴，去无所羁。”

后记

附录

前 言 /

如果你是我的同类

胆子最大的时候，适合展开对未来最狂野的想象。绝大多数的人生时刻，都用来应对眼下，解锁问题，马不停蹄地做出计划和回顾，循环往复，让人以为没有尽头。但还总有那么几个瞬间，比如里程碑事件达成时的酒后，在微醺的圆满感里，因为抬头看见星空，或者低头看见灯影，就那么二三秒，热血涌上心头，让我以为自己还有机会做任何事，去到任何地方，成为任何人。

如果你是我的同类，你肯定懂我在说什么。因为无数次，我都在怀疑，我也许只能过一个憋闷的、被拒绝的、被忽视的窝囊人生了。七岁十五岁二十岁三十岁，无论哪个时期，总会重现几个梦魇般的现实情境——站在或坐在我对面的人对我说你不行不是你；我被湮没在无边无际的人群中间，面无表情的众人正裹挟着我向某个方向行进；亲友在我面前颓然地抬起头，用失神的目光诉说一个愿望的破灭，然后说算了吧现在不是挺好的。这种情境每次都令我窒息，好像心中那种不可言说的恐惧又被唤起，是一种类似黑暗空间中幽闭般的恐惧。

我把这种体验叫作“人生幽闭恐惧症”。就像五岁那年我自己爬进假山的一个漆黑岩洞里，我伸手摸，上下左右都是边界唯独没有出口。我知道外面有光，但照不到这里，也听到外面有声音，但不知道怎么出去。惊恐中我曾绝望地想，我会不会再也出不去了到死都会被困在这里。

如果你是我的同类，你一定懂我的意思。

“人生幽闭恐惧症”会不定期袭来，无论我身处阳光下的人群，还是在办公室的隔间，都能感知到五岁时黑暗岩洞中的恐惧，而我所有的愿望就是从洞里出去。有好几次，我差一点儿就要妥协了，差一点儿就对自己说“算了吧这样也挺好的”。但好几次，我都发觉自己身体里有什么东西还在，人们有时候把它叫作野心，选秀节目里常常叫梦想，但我一直把它叫作热血。然后，因为热血，我会开始制定比那岩洞高一点点的目标，再把目标的达成当作一个有光的出口。然后，跳出去。

再有几年，我就四十岁了。如今，我可以自豪地说，这样的热血，我燃烧了小半辈子，已经尝试过大部分的人生幽闭恐惧，但我知道那些黑暗的岩洞还会出现在我想去往的路上，只要我还想攀登，就永远不会消失。但我希望热血也不会消失，就像我酒后向别人吹嘘的，我凭借它还有机会做任何事，去到任何地方，成为任何人。

既然这样，那么我完全有可能在四十岁上长出一副清爽的骨骼，有看上去不胖不瘦的脸；也有可能在四十五岁爬上意念中或者真实的山峰，能闭上眼睁开眼都是新鲜的高处；到了五十岁，我没想出什么特定形象和活法，也许想清爽就清爽，想去高处就去高处，五十岁应该是自由的，我想按自己的意愿过一生。

如果你是我的同类，你会发现，一路都是热血升腾几天，幻想再撕碎几次，跳出这一个岩洞，还会接着坠入下一个，总要一天天印证时间，一步步登向高处，持续的喜悦并不会出现。当里程碑事件达成时，在微醺的圆满感里，也许有那么二三秒，才能再次体验脱口说出理想那刻的热血。在数次热血的间隙，你会察觉，“按自己的意愿过一生”，不是一个判断或总结，而是一个愿望，是一句誓言。

我要为我们——我和我的同类写下这一本书。每一本书，早就等在那里，我们只管往前走。等我们用双手双脚跳出黑暗岩洞，她会在未来某处，用字句和段落拥抱我们。每一本书，已经选定了她的命运和节奏，当你经历跌宕，兑现誓言，她也安静地完成，就像果树终于结出果实。

让我们闭上眼想象自己的八十岁，皱，瘦，衣襟飘荡，精神抖擞，聊起来最好是吃过见过的笃定。如果从那天回望，我们必须告诉现在的自己：“你的血是灼热的，一直都是！按自己的意愿过一生，因为你值得用一辈子去赢得做自己的权利。当你遇见煎熬、绝望、奇迹、战友、宿敌，你都别忘，这是你自己的意愿，你发了誓。”

Part 1 她看上去得到了计划中的一切

“我一直都在问自己，是不是在过自己想要的生活。”

我常常想，无论情感上还是技术上，人们其实都没真正意识到自己会死。因为如果意识到，人们应该不会选择像眼下这么活。

有一年，东北连续发生了两起空难。我陪我妈去菜市场买桃，桃有好有差，好的贵，差的便宜。我妈正犹豫，水果摊的电视里突然报道发生了第二起空难。我和我妈吃惊地看了一会儿，又沉默了一会儿一起说："买好的！"

后来，凡遇新闻里的天灾人祸，我总想起买桃，我总觉得它是在提醒我们此生有涯，应该多吃点儿好桃。那时候小，很难说清生死大限，只觉得想问题是有个新角度的，这个新角度又很好用——每念及我也会死，就可以让无心的事变郑重，紧张的事变松弛。长大后，每次不得不考虑自己的活法儿的时候，总会提醒自己——我会死，我只有这一辈子。

这本书，我打算写写一个像我这样的人，这唯一的一辈子要怎么活的事。因为从记事起，我几乎没有一天不在想这件事——我为什么在这里，我还可以在别处吗？我现在真难，我必须面临这种困难吗？那个人的生活看起来好棒，我能过上吗？我现在的生活没希望都是暂时的对吗？我想要的一切不是白日做梦对吗？我会跳出现在去往更好的地方对吗？

无论吃什么干什么在哪里，尤其是煎熬和绝望时刻来临，我一定会重新陷入以上追问。而事实经验证明，追问总会等到答案，只是答案的形式各异——每个阶段的考试成绩、镜中样子、录用通知、存折数字、伴侣质量，都是答案的不同样貌。当然还有一种，那就是你也曾不停追问，但几年来，一切停滞原地，幻想从未如期发生。还有，成年后，你发现糟糕感似曾相识：打开卷子，发现考题艰深而你没复习，只好茫然无措；然而下一回难题重现，你发呆你追问，只有不会做，然后必然地做错，然后必然地成绩揭晓你再次低迷。你困惑问题到底出在哪儿，问前辈，前辈说知足常乐；翻开鸡汤书，鸡汤书说你得努力。

以上那些，整二十年，我一直想，一直陷入，进去出来，终于有了眉目。现在我信我印证的路径，选定的这种活法。在追问和答案之间，人得经由好几个步骤，没法偷工减料。也是大概得用去二十年，我才把这几个步骤看懂弄清。不只我，在每一个人的世界里，他必须自证自信，必须做他自己由他自己。他未必知足，未必努力，但必须终生追问，然后依仗践行那几个步骤，才能得到答案。

这几个步骤提炼起来，真是异常简单：1. 观摩活法；2. 研究自己；3. 发现意义； 4. 踏上征程；5. 循环往复。

以上五步二十个字，做到大概明白用了二十年。感觉懂的人看到这里，已经可以扔下书微微一笑出门去。

按说，其余耐心看完全书并践行的我的同类，理论上仅用两年反复论证，即可心里有数情绪稳定地活着。真的，心里有数，情绪稳定，这俩核心素质极其重要，一经掌握，漫长生活里那幸福的点阵会逐渐密集起来。当然，之后会归于不过如此，然后再出现新一轮密集。这个回头说。

我先要时光倒流，悉数把每个步骤中具体的一套打怪升级做任务重新分析回顾，挑出并描述怪兽、升级节点及任务完成情况。我还要不回避，坦荡剖析，把一切问题都当作研究对象。我本人必须在这个论证过程里，负责提供主要案例。

毕竟，我差三年四十岁，算用前半生亲身论证了这五个步骤可行，衷心希望未来四十年也可行。四十年或者再之后，如果我有个墓碑，上面写一句话就够：

“这个人，按她自己的意愿过了一生。”

不能更赞了，真的，简直满意得令人心碎。

I. 一生的计划

「 我不知道她失去了什么，但她
看上去得到了计划中的一切。」

我是一个计划迷。
我已经记不清是从什么时候开始热衷于定计划的。

最早应该是小学的班主任说：“每一个同学都要有一个记作业的本。”于是我回家向我妈讨要这个本。我妈拿给我一个黑色硬皮手册，巴掌大，德国或者日本产的，整洁又严谨。我开始按照手册里面的日历记录作业任务，再后来写复习计划，摘抄心灵鸡汤（那时候叫名人名言），也在空白处画画儿解闷儿。但我除了作业早点做完、考试名次靠前等朴素的愿望外，并没有什么人生愿景或成长策略。每次遇到“你长大了想干什么”这样的问题，我都重复一个老气横秋的回答：“好好学习，长大不愁没有出路。”可见，我似乎不是一个天赋异禀富于梦想的小孩。

我成为计划迷的关键转折发生于高中时期。

我有个表姐，是我姨的女儿，天蝎座，比我大整整十一岁。十一岁基本就是一整轮的时代差距，意味着我刚上中学，她已完成大学毕业工作结婚等一系列标准动作。按说这个差距在表姐妹间不构成影响，但她不一样，她是学霸！每个亲戚团体中总会有那么一个学霸负责成为集体励志样本，在我家则非她莫属。每逢年中年尾，永远传来她令人绝望的考试捷报，让爸妈第一时间用来鞭策我勇猛精进。好在年龄差距实在过大，等我上初中，她已硕士毕业成为大学老师，终于让我从家族榜样的阴影中暂时解脱出来。

表姐自己是学霸，还嫁了一个超级学霸，我姐夫。

我姐夫不是一般人，他是当年浙江地区的高考状元，然后保送读硕读博。博士毕业后，他进入中国科学院工作，据说工作内容是国家机密，我只知道他研究载人航天飞机，属于科学家。关于航天飞机，我的科学家姐夫只透露过一句——早在 1996 年，他就告诉我中国宇航员已经在训练了，说我这一代，如果想上天，还是有希望的。

高中一年级文理科分班后，我姐夫开始帮我补习数学。为了补习效果好，我爸整个暑假都安排我住在学霸夫妇家。如果说一个人的思维方式存在改变锚点的话，那么我的锚点就在 1995 年的夏天。

那个暑假异常漫长，我为了学习，寄居在学霸夫妇家，同时必须适应他们的生活方式。学霸夫妇早起第一件事是播放教学录像带《走遍美国》，在播放的同时完成洗漱早饭等准备活动。说早饭是准备活动，是因为在早饭后，他们一定会关闭电视，各自拿出一个记事本安静读写十分钟，再开始一天的工作生活。一天结束后，偶尔会在楼下打一会儿羽毛球，晚饭时则需再次温习早上看过的《走遍美国》，饭后立刻关闭录像，两人各自关进一个房间内长达三小时。这三小时严格计时、雷打不动。每晚，整个家中无声无息，堪比图书馆或者大学自习室，彻底隔绝了外部世界。几天之后，我就快疯了。

我表姐当时是大学老师，大部分时间与我一样放假，为我编排了和她一致的生活日程；而我的学习计划，则由我姐夫制定。制定那天，我看见我学了一年都没弄通的数学书，被我姐夫三分钟翻完，合上书他问我："大学你想上哪儿？"

"啊？"我呆住，我心说我当然想上清华北大，我也得能考上啊。

"你有特别喜欢的行业吗？"他又问。

除了我爸我妈我表姐姐夫，我根本就没见过这世界上都有什么行业，更谈不上喜欢了。只好说："不知道啊。"但又觉得这个回答太弱智，赶紧补充："我喜欢好看的行业。"

"好看？好看的行业是什么行业？"

我支支吾吾说不出来。

我姐夫只好继续启发我："你就这么想，你认识的人里，谁的生活你最想过，你未来想成为谁那样的人；还有，你最喜欢干什么看什么。综合起来画一个交集，看这里是不是存在你喜欢的行业。"

我在认识的这几个人里面想：我妈做外事的，学的英文；我爸做能源的，学的电力；我表姐学的光学，做大学老师；我姐夫学的遥感，做了科学家。

这里面只有我妈，经常出差去别的国家，出门穿得好看，拿回的照片景色也都挺好看的，这些我都很羡慕。我自己呢倒是喜欢画画，但由于没有专业系统训练，画得并不好看，但能画总是高兴的。其他，我就是喜欢看好看的东西，拥有好看的东西，要是能创造好看的东西，就更好了。于是我说："穿得好看……去好看地方……能画画……能把好看的东西做出来给人看的行业……"

科学家姐夫把数学书扔回桌上，看着我，就像看着个傻子。

尽管问答结果如此，学习计划还是定了，我猜那估计只是个数学及格计划，科学家姐夫有很大可能在那天就放弃了我。

总之，漫长寂寞的暑假补课开始了。表姐家的书房墙上张贴了整幅美利坚合众国地图，我做题中一抬头就能看到。其中几个城市被标注了五角星。每次在书房做好题，我百无聊赖，就只好看一会儿美国地图，再依次认读那几个城市。几乎每晚夜幕降临，我都会从窗口望着别人家的灯光，近处的远处的，心里想，其他人都是怎样生活的呢？

当然，学霸夫妇生活也有乐趣和笑声，一个月里有过两个晚上，他们俩会商量着拆开电脑主机，用我听不懂的专业词汇讨论着什么问题，然后，一起拿起烧热的电焊枪，开始快乐地焊！主！板！我就像一个地球人看着俩外星人修飞碟一样在旁边呆立，悲怆地注视着我完全无法理解的世界。

在暑假尾声的一天晚上，我的忍耐接近极限，坐立不安。为了挨过最后三个小时的全家自习时间，我转到书架旁，胡乱翻书打发时间。在书架上，我发现了一个黑皮记事本，好像是每天早晨我表姐要花十分钟读写的那个。当我翻开来看，我深深震惊了。

这本子的内容分为两部分，前面是人生大事年表，后面是各计划的拆分执行。在大事年表里，起始时间是中学，按年代悉数写下了表姐的大学愿望，一个个具体事项都有达成时间，还有心情批注。很明显，硕士研究生以前的计划是从之前的某个本子誊写过来的，笔迹都相同，而工作后的大事年表则是重新开始写，一直写到未发生的十年后！来到北京当大学老师，与姐夫结婚，这两项显示为最近达成的目标。之后的目标有：GRE，GMAT，美国大学的Offer，夫妇赴美，地图标注城市的名字，美国工作Offer，房子的样子与规划，她的理想形象，生一个男孩，生一个女孩……

本来我觉得他们每天的三小时太长、太多、太苦了，一下子都有了解释。原来我所见的每一小时，都是其中某个大事件目标的执行拆分。到今天，我依然能十分清晰地回忆起那个时刻，在北京西部的一个居民区窗口前，我震惊无比地捧着我表姐的记事本，就像捧着她的人生。在那之前，我从未见过，有人敢这样步步为营地计划自己的一切，也从未知道，原来人生竟然可以精细落实到这个地步。这记事本上的信息表明，表姐很可能从中学时候起就清晰大胆地写下了她所有的愿望，然后用未来每一天的时间去付诸实现。

我震惊了一会儿，却同时又感觉好了一些——我宁愿相信，他们是因为有着人生维度的宏大计划才能做到严格自律，也不愿意真的承认，他们持续学习，是因为他们可以在学习中体验到巨大的乐趣。就像他们焊主板，只是像其他夫妇做手工一样，是一种温馨的玩耍。我一直不愿意真的相信人与人有这样悬殊的差别——他们所有因学习带来的快乐，已远远超过庸常的我们玩耍和看电视剧的快乐。

我有点儿理解了姐夫问我“喜欢的行业”和“想去的大学”是什么意思。我开始羡慕表姐，并也想有这样一个记事本，为自己列举一些宏大的计划。但由于对想要的未来实在没有章法，从高中到大学，我一直没有写。

我大概还能记得十年前，2002 年 7 月 30 日。夏日雨后，我第一次写下了这个文档——《一生的计划》。

我大学刚毕业第一年，住在北京西城，每天上班乘坐地铁，在国贸站的报摊看到了一本书，暗红色封面，书名叫《一生的计划》。电光石火间，这书名让我想起了表姐的记事本，以及我那要写没写的计划，于是迅速买下。

那时我剪短发，脸颊和全身还有婴儿肥。我对人世好多不懂，对未来充满迷茫，但有无数幻想和愿望，大概有点儿王小波所说的“在我一生的黄金时代，我有好多奢望。我想爱，想吃，还想在一瞬间变成天上半明半暗的云”那个意思。

年轻最大的好处，就是不怕，相信所有电视里书里的奇迹，觉得哪儿都可以去，怎么样都可以过。只要愿意，自己可以变身，成为任何人。那时候我每天琢磨的，就是我怎么变身，我要成为谁。

表达少年的愿望有很多途径，可以想一想，说一说，我像表姐一样，选择了写一写。对我来说，写一写踏实。就这样，二十三岁的我写下了自己人生中一个最重要的纲领性文献——《一生的计划》。一生太长看不到头儿，我就先写了未来十年。因为许多愿望当时看起来太宏大太遥远，所以索性把期限留得长些。比如在计划里的毕生愿望栏（Things to do before I die）我写下"出版一本书"，我想那估计是到暮年才能完成的事——当时绝对没敢写"畅销书"仨字。

后来的十年真的非常非常漫长，其中几番说"恍如隔世"也不过分。住址电脑都换过，这份 Word 文档始终妥帖地存着。有时候整整一年人生都好像没有期待中的变化，我打开那计划翻看时就有点悲伤和自我怀疑，愿望显得格外刺眼和可笑。有时候一件事情一个方向会无心插柳，不经意打开了另外一扇门，我就打开计划对照修改，有时候会产生新的想法和愿望。随着时间流逝，这样想象之外的惊喜会一个一个发生。我后来意识到，这些惊喜才是生活里最精彩动人的东西。

写下愿望只是给自己在远处摆上一个灯塔，而愿望里最真正发生作用的部分是这样的："为了实现以上的计划，从明天起，我要做到的是：xxxx。"这"xxxx"囊括和列举了我期待自己在教育、娱乐、职业和外貌上的每一天每一点小坚持和小进步。这一部分，持续作用了十年，才真真切切改变了我和我的生活。

后来的故事很多人就知道了，从2012年，我开始把计划文档扩展成可年度使用的效率手册，设计排版后印刷制作出来。先是送给客户和朋友，后来在电商售卖。到现在，手册已发行了五年，渐渐形成一个独立文创品牌。每天早晨，全球有至少30万人，会打开和填写各版本的《趁早效率手册》，开始他们新的一天。几年中，我在效率手册使用者身上见到了很多次让计划成真的故事。每一次，都让我再次觉得，能够见识到表姐的记事本，能够在地铁站遇见《一生的计划》，是我太幸运。

2014年10月11日，我爸妈搬家，我重新在书柜深处找到了2002年在地铁买到的那本《一生的计划》手册。那天秋意盎然，室温冰凉，我给自己准备了一杯热茶，泡进浴缸，准备好慢慢回顾。然而翻开誓言日期页，我惊骇得从浴缸里弹了出来，并碰洒了热茶。我看到翻开的那页上，是十二年前的我自己清清楚楚写的落款——10月11日！正是我泡进浴缸这一天！那一瞬间，我觉得惊奇、神秘、不可言说，仿佛我和手册有着无法解释的联系，仿佛它早就等在当年的地铁里选中了我，然后看我长大成人，兑现誓言，再散播开去，整整十二年。

十二年中，我大概把我不同时期的"一生的计划"版本给三四个朋友看过，他们的第一反应都是"你好可怕！"然后惊恐地上上下下看我，就像第一次认识我一样。我知道这没什么，这就像我们看见一辆汽车，知道它可以开动，但当我们走近它第一次揭开机器盖子，向里面的结构一望，惊讶地说："啊！竟然是这样运转的！"

表姐的记事本变成了《一生的计划》，《一生的计划》又变成了《趁早效率手册》。当我再走出门去，看见满街的人群，我知道他们各有各的不同。打开人们的机器盖子，有的构造普通，有的却令人惊奇，充满着精密动力。我知道，像我表姐这样的人，一定是极少数人。我没有资格评价任何人的人生目标，但我敬仰对自己的欲望和能力深刻了解，并使命必达的人。欲望多深，对未来多坚信，才能克服沉闷和孤独，在重复练习中晋级，登上台阶！在浩瀚的不可知的命运面前，我们大多数人都是努力一会儿，再等待一会儿昭示和惊喜；而她，一直在勤勉地向宇宙下着订单，再一次次品尝订单兑现的快乐。

我常听人说，人生是不需要计划的；是的，如果思想和活法只是像变老的身材一样，随自然规律松软干瘪下垂就好，那么人生是不需要计划的。还有人会问，如果把一切都计划了，那么生活中的惊喜呢？事实上谁也无法计划一切，只能筹备好基础条件——计划负责“万事俱备”那部分，惊喜负责“东风”那部分。生活的现状是所有外力和内力共同选择后的合力，是所有变量叠加经过意志决定后的共同结果。认识到这一点，你会看重所有事，因为万事皆有意义；你也会看淡所有事，因为单个力量的影响有限。计划就是大局观和整体结构，是去处，是意义，它们才是最重要的出发点。

那个补课的暑假之后，我开始默默地观望我表姐的人生，比对黑色笔记本中她自己写好的剧本，就像期待一出漫长的剧情。1996 年，我表姐和姐夫先后去了美国读书和工作。现在他们定居在波士顿，据说那个城市里有很多喜爱拆装电脑主机箱的人。他们后来生养了一双儿女。我的表姐今年四十八岁，几乎依然保持着 1996 年的身材。

我无法知道这么多年中她是否失去了什么，是否快乐，但她看上去得到了计划中的一切。

还有，我要谢谢我姐夫，因为我高考的最高分是数学。

Ⅱ. 高冷之家

「人只有见识过若干种活法，对自己能拥有的活法才具备了想象力。」

如果你也是恰巧在祖国的一、二、三线城市从没有互联网的童年长到现在，那在这过程里体验到的认知反差一定特别巨大。

在那漫长的寂静的童年，我以为我家附近几条街、几门亲戚、一个班同学就是生活的全部；从广播电视和名著里，也知道些别的国家和人名，但又知道和我的实际生活无关，都是特别遥远的人与事，用来负责讲故事，应付考试，出现在新闻里。就世界观而言，我长时间地认为世界分为“外面的”和“我家的”（或者“我们班的”也行），外面的世界是个客观存在没错，但跟“我家的”不存在流通关系，遇到校际比赛或者五一、国庆，偶尔也会涌现“我们学校”、“我的祖国”类似概念，获得不切实际的同理心和荣誉感，等脱掉校服摘掉欢庆大红花，踏入家门，我面临的日常活法依然周而复始。

当此刻的我去俯瞰当年的那个小孩，她的生活里有个玻璃罩，它们不会进来，她也不会出去。无论她每天是喜是忧，都没能力嗅到迷人未来的味道——她无力想象除爸妈的活法之外，是否还存在其他活法。因此，观摩爸妈的活法，只好成为她第一件大事。

各国艺术史文学史科学史介绍某重要人物，开篇第一句必是此人生辰，第二句十之八九交代此人父母背景出身和行业。可见，先天禀赋和环境造就，成为描述人的基本结构。在后来面临成长困惑的时候，我翻过几本心理学书籍，里面总是反复提到一个词，叫作“原生家庭”。讨论大意是说除了基因作祟之外，你出生长大到成年之前的主要岁月里，你爸妈的基本观点、生存常识和做事方法会深远地影响你一生。无论你想追溯、打败、超越、颠覆，都不得不研究和回顾你的人格建立初期。在懵懂的童年时代里，你受到的对待和启蒙，很大程度上决定了你的未来。

在我读过的自我研究类书籍里，最有实战指导意义的当属《九型人格》，我十分好奇地做完书里几百题测试，第一次得出我所属的分类——第三型成就者（The Achiever）。

那时候是20世纪90年代初，距离互联网在身边出现还有十年，血型说刚刚露头，星座八卦命理等则完全没有普及。我如获至宝地查阅和记下内容，与自己的环境和感受反复比对，惊讶地发现了相似之处。直至今天，我都对书中的几句核心描述记忆犹新。书里说，第三型成就者（The Achiever）的形成环境要素是爸爸管教严厉，而妈妈持续给予正向鼓励。书里还说，这种人格的情感认知核心是：我如果没有成就，就没有人爱我。这么看来，在后来漫长的岁月里，不知是因为这九型学说十分科学而言中，还是这句进入了潜意识成了平生楔子，我真的长成了第三型的人。至于这种人格好不好，书里说，人格类型之间不分优劣，无法比较。我觉得，自证自信，心里有数，情绪稳定就好。

既然是观摩爸妈的活法，那就先说我爸。我爸有一个可怕的特点，叫追问。比如小学时候，我家有一箱罐装可乐，我爸严格规定我每天的饮用数量，日日检查箱中剩余。某天，我终于计数混乱，忘掉喝了两罐还是三罐，我爸一查，数量有误，一问，我稀里糊涂，结果挨揍。

挨揍前通常都会有一段典型问答：

“你为什么喝这么多罐？”

“因为我忘了之前喝了几罐。”

“为什么会忘？”

“因为我没有认真记。”

“为什么不去认真记？”

“因为好像喝完第一罐写了个作文，写完就忘了。”

“为什么作文写完就忘了？为什么你每天不会忘了吃饭？”

“……”

循序追问是没有尽头的，类似的还有为什么会做错，为什么会晚到，我永远会卡在其中某一句，完全词穷，感觉要疯，目光呆滞地望向我爸，看他一步步走近我，然后挨揍。

对我来说，如果做错事，挨揍不只是挨揍，可怕是之前的追问折磨，像无所遁形的审讯，我必须在回答中进行深刻自省，回答出“因为我懒”、“因为我馋”、“因为我以为你不会发现”等人性真相。然后陷入糟糕的自我认知中。

我记得其中有一次，我被追问到穷途末路，反问道：“可是这样问就是没完没了的啊，最后我还是会挨揍啊？”问完特别好，我马上就挨揍了。

还有一次，我在回答“你为什么懒 / 馋 / 想撒谎”类似问题时，竟然回答出了“因为我生下来就这样……因为我是你们生的”。我爸气疯，那一次挨的揍简直史无前例。

总之，我的思考和表达是被我爸审视的。当我提及一个词，需要首先定义这个词，再量化描述。当我谈及一个事件，必须要挖掘到本质。当我承认一个错误，必须暴露出灵魂深处的原因。我爸平常说话写字言简意赅，没有语气词，少有感慨；而遇到需要重点说明论证的话题，则会轮番使用正反论证、例证、引证等一切方法，务必使得观点密不透风。我爸目光如炬，时刻烧灼着我的后背。我的认知非常明确——如果不理性、不自律，就不优秀，就挨揍，我爸就不爱我。

后来，我竟然在苏格拉底的生平故事里读到了一种熟悉的思辨方法，叫“追问”。就是得到了自己或者别人的一个答案，不满足，继续无限追问下去，最后未必会得到一个绝对结果，但整个追问和思维过程就是“开智”。我回想我爸那可怕的追问，贯穿了我整个少年时代，不知到底是为了让我自视我的人性弱点呢，还是为了开智？我能想到的好处是，做一件隐约有错的事情前，我会想想，做这事的隐藏动机是否包含“我懒、我馋、我侥幸”，如果包含，我就再想想，这事是否禁得住层层追问。为了不挨揍，我自己会展开模拟追问。而模拟过程中，有些错事我也就真的不做了。

我爸的第二个特点，是他自己不会哭，也反对别人哭。
我读到过许多文学作品，听到过很多朋友的自述，讲他们的爸爸如何温暖宽容。但我爸可不是，我爸那是一块坚硬屹立的岩石，充满刀削般的侧面。
按现在的话讲，我爸高冷。
我是不可以哭的。我爸的观点是：一、日常生活中并没有什么事值得哭；二、哭没有用。

我在小学期间，学习尚可，但体质差，整个人软白，有这样的爸管制，性格也不强硬。到了小学六年级，由于软白，依然在体育课受到同学哂笑。那种时期，班上总会缔结类似于小太妹团体的女生组织，她们会时常动机不明地联手孤立打击谁。马上就要小升初考试之前的那堂体育课，由于我做不出她们都会做的侧手翻动作，她们选择了打击我。

那天我伤心坏了，自尊崩塌，放学回家坐墙角哭，我妈听了挺气愤。我爸回到家，第一句话告诉我不许哭，然后大概用了两小时的时间，讲他的童年坎坷。故事总是引人入胜的，我听得也忘了哭。讲完我爸说：“你以后要是想哭，就想想你现在有的东西。你没有参照物，就不知道眼下的生活叫幸福。生存和大灾大难之外的事，都不值得哭。”

但我妈追问，嘲笑欺负我的同学怎么办。

“她们学习好吗？”我爸问。

“不太好。”我说。

“那你好好考试。考完试，你再也见不到她们了。”从小到大，我爸说这些的时候，也从来不会摸摸我的头什么的。其实我爸从未正面向我表达感情，不夸奖，不拥抱。这样酷酷的父爱，我习惯了。

第二天我上学，嘲笑活动并未结束，她们几个迎上来，一个说：“连这么简单的动作都做不了，真是笨蛋。”

我注视着说我的那个，清晰地回答：“考不上重点中学的，才是笨蛋。”

她们呆掉，而我转身走开。那是我人生中第一次体验快意恩仇的时刻。

一个月后，小学毕业考试结束，我是全班第一名，考到市重点中学。像我爸说的一样，我再也没有见到过她们。

我爸第三个特点是，追求理性，以理性自居，又以彰显出理性面目为荣。这是理工科出身又严于律己人士的显著特征。在我家，没有一件生活琐事是不可以量化描述、核准目标、倒推计算的。比如若干年来，我都无法实现自发性早起，是我爸对我最为失望的一点。我爸认为，这标志着这个人没有坚实的目标，也没能实现真正的内心自律。多少个清晨，当昏睡的我突然被我爸责令起床，我晕眩地看着墙壁，苦痛地想：我要独立，我要离开家，我要任意地按照自己的意愿想几点起床就几点起床！这大概就是我最初的梦想。

高中分科，我爸聊起理科优势时神情倨傲，告诉我放眼世界科技与工业文明前进的步伐，这是理科人士构建的世界。是的，我爸不看电影，不读小说，不聊诗歌，也不准我涉及。我被洗脑成功，随后在高考志愿上报考了汽车与内燃机专业，决意冲进机械原理的高级世界，直到北京广播学院的播音系提前录取了我。然而，我一直偷偷地看电影、读小说、写诗歌。

但是，我知道，我爸是读得懂诗的。

我妈和我爸，恋爱了八年。那年头日子过得慢，恋爱也谈得慢。好像是我妈先考上了大学，我爸去当了兵，一下就过了四年。后来我妈说你也考大学吧，我爸就去考了大学，考上了之后也念了四年，我妈就先工作等他读完。两人就这样过了八年。那年头也没有手机，人们想联络彼此，就互相写写信；人们想梳理下自己，就写写日记。

八年之后他们终于结婚了，然后就有了我。然后我就在我那理性的高冷的爸爸的注视下，一直成长。我妈做外事工作，出差很多，有时候离家很久。我爸每天给我做饭，都挺好吃，每天吃饭都挺沉默。有一次，我还在上初中，我妈走了将近一个月，快回来之前，我爸吃饭的时候说："你妈明早回来，咱们把家收拾一下。"

我负责整理墙角的箱子，把旧衣服翻出再放起来时，在箱底发现了一本日记。日记是红色塑料皮的，皮面经年日久有些变色，我翻开来看，认出了我妈的笔迹。再看日记的日期，都是我出生前那些年的事。其中还有些是诗，读起来像是我妈原创的，多是五言七言的绝句。啊，我妈竟然还写诗，我惊讶地想。

我爸走过来，见我拿着个本子呆坐不动，脸色一沉，我马上跳起来举着本子说："我收拾东西找到一个本！好像是我妈日记！"我爸伸出胳膊把日记本接过去，面无表情地放到一边，转头催促我："快接着收拾！"竟然没有被呵斥偷懒，我高兴地上缴了日记。

那天后半夜，我起来上厕所，走过我爸妈的卧室，惊觉里面还开着灯。经过时，我往里随便看了一眼，就这一眼，我无比吃惊地看见，我爸，刚愎的理性的高冷的我爸，靠在枕头上捧着那本日记在读，泪流满面！我惊惶地飘走，希望我爸没发现我。但我在马桶上坐了很久，高兴地告诉自己我爸也在读诗，还有我爸我妈一定是真爱。

原来，我之所以长成我，一切都是有原因的。我追求理性，但是我写诗；我强调自律，但我很难早起；我控制情绪，但我渴望真爱。我并没有从自己身上无端地生出什么独特而又别致的性格，我只是复制了基因，然后沾染了我爸妈的活法而已。

当我们能观看山，我们已远离了山；当我们能观看海，我们已远离了海。当我们抽离出来正视自我，才能真正发现原生家庭对一个人原始的影响，逃不出这两类：我继承的，与我反叛的。多年以后，我携带着我当年想挣脱的烙印，以为可以选择更自由、更危险的表象生活，然而原生家庭早已在我的内里装入了东西。因为爸妈，我没有可能成长为一个散淡的人，因为我的潜意识里被种下了情感的种子：我觉得，只有自律、理性、优秀，人们才会爱我。而我早已习惯在给出判断前尝试论证，在情绪袭来时尝试解决问题。我只能做我，没有别的选择。

我这个女儿没有被“富养”，也没有被父爱宠溺过，但长大尤其在创业之后，我更愿意成长为我爸那样的人。因为，团队的成长需要有严父特质的领导，给方向，给眼界，给解决问题，必要的时候手把手地教生存技能，默默注视，进步时给明确的鼓励，失误时在身后担当。严父不坐视忧愁，不陪着流泪，而会帮你练成那样强壮的手臂。

Ⅲ. 我的大学

「长大后，我要做个说话有趣、

人格可信、见识高明、眼神清澈的人。」

大学有点像寺院，是用来修炼的。在正式踏入江湖之前，大学是每个人最初读卷习武的地方。有清规戒律，也有师徒同门；有点化开悟的时刻，也有许多记忆中深藏的往事。离开寺院，有的人跳入熙熙攘攘茫茫人海，有的人看淡，有的人爱上虚名，还有的人成为了侠。我一直是想成为侠的。

我理想中的侠，就是很厉害的人。首当其冲当然要有好身手，专注练功十万小时，又出手克制，不计较一时一隅的输赢；其次骨骼清奇、长相凛冽，这样才能惊鸿一瞥被人记住；一生不羁爱自由，为了自由只好自立门派，内心里又热血悲悯，见天地见众生；最重要是寂寞苍凉，因为据说高手都寂寞，转身别过，大漠孤烟，策马走向远方。

按说，侠没有爸妈管着，但是我有。在上大学之前，我最大的愿望，就是在华灯初上、夜幕降临、晚风吹拂的时候，我能在北京的大街上，最好是长安街上随便走一走。走一走只是形式，随便才是重点。随便代表着我有能力挣脱管束，自行决定我的思想和行为动作。在上大学之前，这都是不可能的。

大学开学第一天，我就觉得大学救了我，值得我感激涕零。一个宿舍二十平米，要安排住八个人，我只是兴奋，并不觉得挤。八个人里算上我先到了七个，来自祖国各地，平均一个人一对父母跟着，嘘寒问暖，依依不舍。我爸妈也跟着我，东西放下，铺好床，好像除了“好好学习”、“注意安全”，也没什么需要交代的了。毕竟家就在北京，到周末就回去。终于，我爸妈转身走了。

在我爸妈转身的刹那，我感到巨大的喜悦。到今天我都记得那种历史性的巨大。过去我被管制在一个硬盒子里，但那一刻，盒子的四壁向外倒塌了，平平地向四面延伸展开，外面是整个世界！我可是要迈步走出盒子了！接下来到周末之前，每一天二十四小时竟然都是我自己的，穿什么、吃什么、去哪里、几点睡，竟然都是我自己的。

在宿舍楼下，我遇到了几个激动的新同学，他们是第一次来到北京，决定出发去看看天安门，我跟着这个亢奋的队伍出发了。于是，我终于在华灯初上、夜幕降临、晚风吹拂的时候，走在了北京的长安街上，完全就是梦想的实现。一个同学甚至背了吉他，沿路弹唱，这个现在看来很傻的情景当时令我快乐到眩晕。开学日的长安街漫步简直就是我的成年仪式，还有吉他背景音，还有天安门。在主席像前，一个哈尔滨同学流下了眼泪，他说他到达了祖国的心脏。我也有点热泪盈眶，我想也许是由于我初尝了自由之精神。

之前我看了表姐的黑色笔记本，决心要成为一个很厉害的人。但是对怎样成为、如何厉害全无章法。都没有见过，怎么成为？侠需要练功、交手，还需要遇见高人。我需要读卷习武，未来路漫漫，还是先看看再说。

报到第二天，全班集合，我发现我们班有很多好看的人。我上的是北京广播学院（现在叫中国传媒大学）播音系。众所周知，这个系的招生考试评测维度首先是脸和声音。要知道，人的脸有光环效应，脸一好看，就容易显得比较厉害。我们班同学，几乎是一个省才选出一两个，好像各个都很厉害，我对我的同门僧质量还是非常满意的。我开始隐约觉得，成为一个很厉害的人要有标准，首先得才貌双全。发如雪，眉梢斜插入鬓，一把快刀，微微一笑转身——武侠小说里都这样写。

然而，年轻时候的见识是粗浅的，这个标准崩塌得很快。全班集合结束后我回到宿舍，发现八个人里最后一个也到了。这人的床铺在宿舍对着门的靠窗右下，我先逆光看见一双大长腿伸出床铺搭着，上身躺进床里，一动不动，好像在睡觉。我就先看了一会儿这个腿，真是太长了，还细，还起伏得当。我正看着，这人醒了，仰身坐起来，我又逆光看见一大把黑头发，哗啦垂下来，发丝边缘带着下午太阳的金边。这人伸出胳膊撩开黑长头发，撩头发的胳膊也是长、细、起伏得当，我正赶紧看胳膊，她又露出了脸。

脸怎么说呢，和腿、和胳膊，真就是一整套的，在大街上走一年也看不见这样一个人。漆黑眼睛，上嘴唇自然翘起来，两颊还有点肉肉的，加在一起诗情画意，像看少女芭蕾明信片似的。她先给了我侧面，又给了我正面，然后和我说话了。我也和她说了话，声音有点干涩。然后她就站起来了，得有一米七。一米二都是腿。

侠应该长这样，不是长我这样的！我心里想。不是我这样短头发，扁脸，一米六三，肯定不是。我心里破碎了一下，了解到人与人起点悬殊。有的人只是样貌就已经很厉害了，那么我的武功是不是要高得很明显才算数？我因此开始思考成为一个很厉害的侠的其他途径。现在看，她负责对我进行在大学寺院里第一次开示点化，又是一个宿舍，简直是借由我的眼睛频频点化。我一直挺喜欢她的，她活得也挺诗情画意。大二有一天半夜，我正在做梦，她在黑暗中走到我床前摇醒我，凑到我耳边轻轻说："快看，我怀了外星人的孩子。"我一看，她把发光的星星墙灯揣在睡衣里，在肚子那里一闪一闪的。我都有点爱上她了。

这班同学被挑选到这里，是为了人前台上培养的。这种前途就容易充满机会主义。同一个宿舍，大概从大二起，就有人开始去节目组兼职实习出镜。那几年没互联网视频网站，露脸全在电视，大众业余生活也很依赖电视。红与不红，很可能就是一个节目一个月的事，挺残酷。当然世界本来就是这样，只是这个工种会让这些来得更快更决绝，而这班同学二十岁起，就要面对这种决绝。

机遇有它自己的逻辑。我的宿舍最先红的不是少女芭蕾明信片，而是我的对床，另一个爱早起的短发姑娘。大二有天夜里，早起姑娘下了让她红起来的节目，发现宿舍门被反锁了。当我被吵架的声音惊醒，矛盾已经升级了，两个人吵变成几个人交叉吵，又有人摔了镜子。我坐在上铺听了一会儿，发现还有牵涉到我的环节，想辩白回嘴，又忍住了。当我想成为一个很厉害的侠以后，获得了一个思考的新方法。我会想，我想成为的那个人，那个很厉害的侠，她会怎么办，她会辩白回嘴参与吵架吗？我坐在上铺往下看，看这宿舍也就二十平方米，但侠想去的世界该多大，侠想做的事该多大？无论多大，肯定不是这么大，我的侠不计较一时一隅的输赢，不屑于争执。况且侠的输赢不是叉腰对骂，而是出手就有，心服口服。毕竟我现在还不是侠，我还需要十万小时练功。

在大学里，我和我想成为的侠每天在一起，又是分离的，但在我没成为她之前，我都努力用她的眼睛和方位想事情，这帮了我大忙。她提醒我别忘了我想去的地方，别忘了我想成为的很厉害的人，大事小事，每天每月，我的侠都看着我呢！

在我的大学寺院，除了偶尔克服嫉妒等人性，也有很多诗意的时刻，主要体现在写诗上。是真的写诗。十一点熄灯以后，点上蜡烛，意境就降临了。我和少女芭蕾明信片的对床姑娘是写诗良伴。先是各写各的，各自朗读；后来觉得不方便切磋，又改成命题写诗，这样就能比较，比较就能提升。在创作高峰期，我们写完就高声朗诵，并调整嗓音和肢体动作，假想已与万千观众接通了精神花园。宿舍其他六位同学则从好奇惊诧适应为泰然自若。在许多闷热的夏夜，我一手举着蜡烛，一手捧着我的诗集，只穿一条内裤，在狭小的宿舍彻夜读诗，朗朗上口，饱含深情。

后来，凡听到对大学中理想主义的讥笑，我就会忆起彻夜读诗。大学时候想成为的人，本来就是理想主义的人设，如果后来人设被周遭和他人改写、摧毁，就跌落回到现实主义。比如我想成为很厉害的侠，那时是，现在还是，但现在学会用现实主义手段为理想主义架设桥梁。遇上事，遇上人，都不能放弃你的人设，放弃的都不算真正意义上的理性主义者。

关于播音专业学到的技巧，几个人日常反而不大切磋，只重复玩一类声音游戏。当有人打电话到宿舍，无论谁接起，都会用极标准的配音女声说："您好，这里是北京广播学院 8 号楼 234 宿舍，请接着拨分机号，查分机号请拨 0。" 过几秒，会听见对方真的就犹犹豫豫地摁下 0。然后宿舍里其余的人会爆发一阵大笑。在大学寺院，声音是我们研习的刀法，因此不宜显山露水，不宜人前切磋。

在大学，一直困扰我的问题，是成为侠以后的活法。从我所在的专业出发，这个问题很快就具体到：侠要不要红？红了要不要卖艺？能不能忍受成为门客？临近毕业，我越想越多，好奇别人的活法，毕竟少侠要出江湖了。

我的大学门口好车多，坊间传言都在说，好车都是来接送女生的。

有一天，我和少女芭蕾明信片同时接到一份广告试镜邀请。在学校门口接我们的，是一辆极长的轿车，可以说平生所见最长。车里一共坐进八个女生，都拿着试镜邀请。我幻想自己将接拍电视广告，心情较为激动。车到了一个外表普通的白房子前停下。跨进门是一个华丽客厅，两个中年男人迎接并微笑环视我们，分发了广告脚本。大家依次在宽阔沙发上坐好后，我开始特别认真地阅读脚本，并暗暗寻找摄影机。自我介绍环节结束后，从客厅推门，大家跨进餐厅，十人坐在大圆桌前，上菜燕翅鲍，红白葡萄酒，频频举杯，交叉沟通。喝得有点眩晕，再从餐厅推门，鱼贯跨进 KTV 包厢，大屏幕放着金曲，服务生在软装沙发前切起水果。这一关八人均被要求唱歌，又被邀请跳舞，包厢里反光灯球旋转迷离，灯光渐暗，折射出璀璨夜空，歌舞升平。

什么时候试镜？还是摄像机埋伏在暗处，观察考验早已开始？我感到困惑，想上厕所，自己站起来乱找，推开一扇暗门，却跨进一间卧室。我寻找厕所，四下打量，发现卧室陈设不太寻常，稍加联想，我好像懂了，惊骇得转身从卧室冲出来回到 KTV，站在正在唱跳的女生中间拉住她们，“我们要回家！”我冲两个男人喊道。那晚，慌张的少侠逃遁在夜色中。

至于那个脚本描述的广告，我后来真的在电视上见到了，女主角是巩俐。脚本是真的，试镜是假的。

几个月后，我又在校门口见到了那辆很长的车，那真是我坐过的最长的车了。没错，我们学校门口，是有好车接送女生的。不过也不都是。有一次，我爸开了车送我，下车给我了一袋水果。流言传回我耳朵里，有人说：“王潇找了个老头儿，头都秃了，特别抠，只送了一袋水果！”

就是这样，侠出江湖，会遇到很多考验与危险，以及传言。

在大学寺院的最后一年，我和宿舍写诗良伴开始到处试镜找工作，不再写诗。毕业日，我们决定互赠最后一首诗，她让我命题，我的命题是《一个侠》，然后我写了一首诗：

一个侠，遇到了另一个侠
深夜喝酒，黎明别过
相约在下一个驿站
再相遇时
也不必问
去过了哪里
杀了多少人

我的大学就是这样，有点像寺院。在正式踏入江湖之前，我一直都是想成为一个侠的。

Ⅳ. 幸福偶像

「 你要知道，前半生就算再美，后半生，
也是要靠智慧和钱生活的哦。 」

2000 年，我和男朋友叶先生被推荐参加了一个叫作“幸福偶像”的比赛。比赛是一个生活类杂志主办的，参赛选手要拍摄硬照，撰写故事晋级，最后出席颁奖典礼，揭晓获奖名单。说是比赛，其实是一个普通的读者互动类主题活动，参赛者都是去现场吃喝玩耍的。

那个时候我和叶先生刚恋爱两年，一切风平浪静顺理成章，并没什么故事可写。但我有一个坏毛病，凡遇竞争型活动，就算一开始再怎么本着玩耍和解闷儿的动机参与，只要一进入状况，我就会肾上腺素飙升，泛起输赢心，越进入越想赢，屡试不爽。比如参加拓展训练，出发时心不在焉，却会越玩越正经，最后面红耳赤地争夺冠军；再比如接到出席活动邀请，我总是随便翻翻 Dress Code 觉得出席就好，结果遇到现场评选最佳着装，又迫切地想被看到并选中。了解我的朋友说，我当之无愧就是输赢心大赛冠军本人。

说回幸福偶像比赛。既然要晋级，我决定刺探其他选手的故事，打电话问比赛工作人员："这里面都有什么好故事啊？"

"有啊！微整形医生斯勤一家，他和太太都长得好看，他还在故事里坦诚写帮太太塑造了更完美的脸！这个故事还挺独特的。"

"哦，所以他们是结婚选手喽？结婚选手会被认为更幸福吗？"

"当然啊，结婚就是修成正果的幸福，而且他们有孩子啊！"

"啊！还有孩子！"

我心说完了完了，这个叫斯勤的整形医生长得好看不说，还整了老婆，还有孩子，这故事真是好极了，我还能不能晋级啦？于是我和叶先生赶紧回顾了一番我们短暂的两年恋爱过程，找出几个可以标榜幸福的闪光点，拼拼凑凑写成故事，交了上去，竟然晋级成功。

颁奖典礼那天，我和叶先生穿上礼服，打扮一新，第一次遇见了竞争对手斯勤。在酒店的大宴会厅，我看见一个打着淡紫色领结，身着深紫色天鹅绒礼服的美少年。对，完全就是日本漫画里那种美少年，清瘦肩膀，四肢修长。他向我走过来，笑眯眯地打招呼："你好，我是斯勤。我是本届幸福偶像。"

我觉得很逗，拿"幸福偶像"来自我介绍反而充满自嘲和荒诞的喜感，提醒了我大家都是来吃喝玩耍的。我喜欢不较真的时刻，输赢心冠军也从来更喜欢松弛的人。

斯勤有着惊人年轻的一张脸，反正"吹弹可破"、"唇红齿白"这些词，都可以拿来形容他。于是我对斯勤说："你长得比杂志硬照好看。"
斯勤看了看我身边的叶先生，表情郑重地回应我："作为一名整形医生，我认为，你男朋友长得比你好看。"
我感到心脏被一戳，而叶先生马上咧开嘴笑起来。

当天比赛结果揭晓，我和叶先生荣获"幸福偶像"大赛全国第二名，斯勤夫妇荣获第三名。我和斯勤在晚宴桌上喝起红酒频频举杯，一致认为第一名夫妇并不如我们两对幸福，尤其不如我们两对好看，一定是黑箱内定的结果。又喝掉几杯之后，表示名次也并不重要，反正我们已经是全国前几名最幸福的偶像了呢。

那天，不知道是不是酒喝得太多，晚宴之后，我弄丢了"幸福偶像"第二名的奖杯。空手回到家，我穿着礼服躺进沙发，沮丧袭来。

2009 年，我三十一岁，创业一年多，公关公司还挣扎在生死线上。我知道这比赛不值一提，只是件能与男朋友一起玩耍的小事。但丢了"幸福偶像"的奖杯，让我感到是种隐喻——是的，我已经三十一岁，依然是无名小卒，也并不知道我选择的创业道路是否正确。我没有挣到什么钱，男朋友比我小三岁，一切都是混沌的，不知道未来。我很清楚，我并不是一个幸福偶像。现在，我连有机玻璃奖杯都弄丢了。

那时候，我刚开始写第一本书《女人明白要趁早》。沮丧常有，但沉浸在叙述中让人专注，物我两忘。我无法知道这书未来是否会有人读，所以全然写给自己，深夜回顾每一个年轻而糟糕的故事，然后把教训一条一条地在Word文档里打出来。每打出一句，我都像又给自己修炼出一条傍身秘籍。我还是三十一岁，还是没挣到什么钱，但写作过程很神奇，就像我在被我自己写的故事完整化，我的人格像一张拼图，被自己写下的书中章节一块一块地拼回来。

为克服沮丧，我从沙发上爬起来，穿着礼服裙，在桌前修改我写给晋级比赛的恋爱故事，删删减减，收录进《女人明白要趁早》。至少，这篇文章没有浪费，它将成为新书的一部分，我这样安慰自己。

合上电脑，手机突兀地响了，吓我一跳，一看是刚才一起领奖喝酒的斯勤。

“原来你就是那个美女CEO王潇啊，哈哈！”斯勤声音很大很兴奋。

“你是说网上那篇文章吧？”我知道他是在说我写的那个帖子《写在三十岁到来这一天》。到处都在转发，可惜我不是真美女，也不是个成功的CEO。

“你很红啊你知道吗？哈哈！”

“有吗？”

“当然有！告诉你吧，我去年就看到你那篇文章了，特别喜欢，但又不知道王潇是哪个。今年我开了微博，每天复制一条发微博上，一开始大家评论都说我老有才了！后来有人发现了，说斯勤不对啊这是一个美女CEO写的啊你怎么抄袭呢啊哈哈？我一看，妈的没法再复制了那个女的竟然红了！哈哈哈！”

斯勤聊得我哭笑不得，电话内容如此欢乐，我都不好意思再沮丧，也胡乱聊了一会儿。

最后斯勤说："你老有才了，老励志了，你是励志大姐！以后我人生迷惘了，就找你喝酒啊！"

"好啊，没问题！"我一口答应下来。那是第一次有人叫我励志大姐，听着还挺亲切。

"都是缘分，大家也算是选秀比赛认识的。"

最后一句差点让我笑岔气。

几个月后，斯勤真叫我出来喝酒了。

斯勤的吹弹可破、唇红齿白都没变，但当他神色平静地说出："励志大姐，我离婚了。"我错愕得完全接不上话。

停了几秒，我小心地问："前一阵咱们不还是幸福偶像吗？"

"幸福偶像，它前提得是当事人是幸福的对吗？是当事人，不是周围人，不是爹妈，也不是传统，其他人觉得这算幸福都不管用对吗？"斯勤问我，盯着我看，眼睛黑亮。

"对。"当然都对，但我仍然判断不出他不幸福的原因。

"所以就离婚了。"斯勤摊了一下手。

"那你最近过得怎么样？"我关切地问他，虽然从他神采奕奕的样子完全看不出常见失婚男子的憔悴，但毕竟是个重大转折。

斯勤好像对我的问题有点儿难以置信，上来扶住我肩膀说："我当然过得好啊，励志大姐，咱们可是幸福偶像啊！"

我的第一本书《女人明白要趁早》是2010年初出版的。出乎预料，新书从上市起就成了畅销书，获得了一批又一批的年轻读者。斯勤在机场书店看见榜单就打电话给我："励志大姐，你红了！我早就知道，你老有才了！”

“我不红啊。”

“你必须红！你可不能不红啊，我可每天都按你写的那一条一条活的。”

看见电视里我的访谈，斯勤也打电话给我：“作为专业人士我得说说你，你是励志大姐啊，你得起示范作用，你得保养啊！”

“我希望四十岁还长现在这样就行。”

“肯定没问题！”

我刚要高兴，斯勤接着说：“你这不是马上就要四十了嘛。”

“……”

“没事，大姐，你要知道，前半生就算再美，后半生，也是要靠智慧和钱生活的哦。”

又一次访谈播出之后，斯勤在深夜打电话问我：“励志大姐，你在访问里说，你是三十以后才发现自己可以写作的是吗？”

“是啊。”

“我也有类似的发现。”

“是什么样的发现？”

“没事，大姐，问题解决了。”

斯勤的业务越做越好，客户名单常现娱乐明星，报道遍布各大时尚杂志。2011 年，他在北京东四环一家酒店的一层开了一家超大的美容会所，采购了几箱我的书送给他的员工。我去给书签名的时候问他：“你最近谈恋爱了吗？”

“我是有一技之长的美少年，必须有很多追求者。”

“所以你恋爱了吗？”

“有一个追求者要来找我呢！”

“好啊，让姐也看看。”

一会儿，我抬起头，在我和斯勤面前站了一个俊朗的小伙子。我瞬间懂了。

我懂了。可是我又没懂。我想起斯勤说的三十岁后，说的周围，说的爹妈，说的传统，前后种种。没错，在某一通电话前后，这个总是与我欢乐聊天的美少年，一定经历了若干人生重大转折。他遇到的问题，面对和克服，都不会容易。我假想了一下他的人生再把自己代入，想到之前的太太、孩子、爹妈、媒体，顿觉已无力再想象下去。

也是三十岁以后，我才明白，无论是择业道路，还是恋爱道路，都比不上自我发现的道路艰难和漫长。我还想到，原来，事情是一团问题，问题可以拆开捋顺后等待解决，而人不是。人是一团神秘，是揭开再揭开后依然纵横交错，就算一直面对，一直研究，你也只能做到与这团神秘共存。你可以观察它，欣赏它，爱它恨它，却无法像问题一样解决它，无论是自己的，还是别人的。所以人是无底深渊，人是万般美好，人才让人哭让人笑让人等待，人才动人。

2012 年，他又找我及一群人喝酒，说要庆祝个事。

“你又恋爱了？”我猜测。

“比这个事值得庆祝！”

“那不对呀！庆祝事业和钱吗？你的顺序难道不是恋爱在第一吗？”

“这回还真不是恋爱第一了。”

“那你堕落了，你不是美少年了。”

“大姐，你说，世界上有什么事情比恋爱还高尚还值得追求？”

“要我说，尊严与自由。”

“对，我今天要庆祝的，就是自由。”

然后，在浪漫的烛光中，美少年斯勤正式向大家宣布，他终于还清了几年前所购豪宅的所有贷款，同时终于抵达了他为自己设定的目标银行存款数字。啊，这也是我的目标之一，可以站在夜晚的落地窗前，俯瞰整个城市在呼吸，财务自由，心无挂碍，不见不想见的人，不去不想去的地方。

“我每天忙活，就为了一种自由：哪个事儿烦你，你就不要；哪个人烦你，你就绝交。”斯勤端起酒杯仰脖干了，目光慢慢地掠过我们每个人的脸，又说了一遍：“自由。”

从那以后，斯勤会阶段性在北京消失，然后朋友圈的照片里一定会出现蓝天碧海、美食美酒、宠物和机车，以及像他一样的快乐美少年们。当我翻看朋友圈时，会在其他人发的静心鸡汤和创业鸡血中间，看到斯勤的世界——他的照片永远充满阳光，永远年轻，永远有变幻的不同美景的海岸线，好像来自另外一个平行宇宙。每次我都读出了两个字：自由。

不得不说，即使是在同样的朋友圈界面看过去，每个人也是自带质感的。很多人都会偶尔旅行，包括我，都会在异域发出精挑细选的照片，也展示阳光花园和灿烂笑脸，但很奇怪，我就主观觉得都和斯勤的照片不一样。比如看到一个我的五百强金领朋友晒出的度假照，哪怕画面里充满龙虾和游艇，我也会立刻解读成：这是一张（辛勤劳作了一年后的高级打工仔的）度假照。往下拉一拉，看到斯勤晒出了一只在花园里撒尿的八哥犬，我马上就欣慰地解读出俩字：自由。

2013年秋天开始，我发现斯勤照片的景色不再频繁变换，总是出现相似的洛杉矶早晨和落日，花园和街道，一只黑色的八哥犬，他自己的灿烂笑脸，还有另外一个美少年。我几乎每天重复地看到这些元素，直到第二年秋天，我看到斯勤的地点变成了旧金山。在旧金山，他发出了一组结婚照。

对，结婚照！第一眼我有点难以置信。我看到他和照片里一直出现的那个华裔美少年，都穿着精神抖擞的礼服，在牧师的主持下郑重地行礼。在每一张照片里，他们都笑着，拥抱，互相凝视，眼睛红红的。我看到照片下面无数热烈的评论里，他原来的太太，也写下了一大段祝福。

“励志大姐，我觉得我现在是真正的幸福偶像了！”斯勤在微信里对我说。

“你就是！你必须是！我要写本新书，书名叫《按自己的意愿过一生》，你知道，这是一个梦想。在我认识的人里，好像只有你真正实现了，我能写写你吗？”

“当然，你想怎么写就怎么写，只要你高兴。别忘了，咱们可是幸福偶像啊！”

Part 2 不要温和地走进那个行业

“你深吸一口气继续前进，跳进了未知世界的无底深渊。”

我的简历略为凌乱，从字面上很容易看出，大概是离开大学后平均不到三年就会换一个行业，创业之后，又换了两次方向。每次为什么换，怎么就决定换，换的时候怎么想的，换完以后又怎样——常有人问起这些关于“人生抉择”、“人生转折”的问题。然而，简历可以美化，美化之后，人们提问的铺垫就变得较为诗意，称之为“每一次华丽转身”。“华丽”这个词用在这里，内涵还是很深刻的，张爱玲有句警世恒言怎么说的——“人生是一袭华丽的袍，里面爬满了虱子。”

不得不说，为了故事富于戏剧性，讲述者经常使用的“华丽转身”造成了许多认知误导。人都天生趋利避害，无论是谈恋爱还是选职业，谁不想直接找对人，选对路，一步到达理想人生彼岸啊。一定是因为发现错了才换跑道，已经是浪费了时间，又忍痛交了学费，只能暗暗决心重新来过。如果下一个起点资源及格，平台不错，外人看着体面，也就可以粉饰为“华丽转身”了。

按照浸淫“一万小时”才能成为大师的原理，想要把一门手艺变成行家绝学，每天操练三小时要十年，每天操练九小时要三年，人生岁月有限，二十岁到三十五岁，即使没换过行业，日夜精进，也只够成就一个半大师的。每换一次行业，就意味着之前的大师之路夭折，在金字塔里下坠一层，又一次落回平均水准的芸芸众生。在有限的时间里，每转换一次行业，就是增加一次回归庸人的风险，加盖一个迷失者的悲剧烙印。然而，这就是我。

在经历了大约几次人生方向选择之后，久病成医，我终于具备了基本总结的能力。纵然当初每次选择中的我都是懵懂的，但现在回看，一切昭然若揭，全都充满因果。乍看上去再混沌的思路，其实已充满了暗示、启迪、条件、契机，我们的生活即使在平淡无奇的时刻，其实都充满转折与线索，剧情都存在逻辑严密的暗线，未来都埋在过去之中。

当现在的我说起过去，剥离掉娓娓道来的故事，当初每一个辗转迷惘的选择，都可使用归纳法清爽地分为四大要素：追求、痛苦、启迪、决定性瞬间。而其中最神秘的，一定是决定性瞬间，是你终于获得神奇能力，与过去决裂，向前迈步，再没回头的那一刻。它对于一个人，就像是命运大手的神谕。

就像我一直以来都爱看人物传记和深度采访，因为那里面总能看到各类的决定性瞬间，有时候主人公经历了漫长的煎熬，有时候像一个偶然的玩笑，都以意想不到的方式来到人们面前。

比如某一期《时尚COSMO》客座总编辑是李东田，在与他聊天的全程里，他描述了从业二十五年的全部历程。整个历程微观又宏大，听起来像一个行业从无到有的史诗。李东田说："最棒的一年是二十六岁，那一年我到了纽约。有一天，我发现自己可以拥抱世界，充满活力，一切都可以。"在其中的几个人生转折点上，甚至都像是有一束光打到他的脸上，一扇门在他面前开启，而他只是推开门走了出去。

还有一次读到别人这样的决定性瞬间，是在村上春树的《且听风吟》里，他写到有一天去观赏职业棒球赛，在露天观众台喝啤酒，看到养乐多队洋将John David Hilton击出一支二垒打，那一刻，他描述"一种契机刺激了心中某种不寻常的东西"，还说有一种什么东西从空中落下，降落在了他的身上，从此，他决意开始专职写作生涯。

与其说是那些时刻召唤了人们，我宁愿相信是人们通过漫长的执念召唤出了那些瞬间。有时候，只需要明白一个点，它就会立刻让你蜕变。那种了悟并不是渐进的，而是突然的，在半秒钟之内，你就从此变成一个截然不同的人，终于辨认出来到这世间的光芒与使命。

Ⅰ. 创业七年 ❶前传

「 你看到的都是招数，不是内功。」

我的公司是 2008 年 2 月注册的，到现在是第七年。按照大部分创业公司活不过三年的说法，我的公司捱过了两轮。2015 年 8 月，公司接受了首轮投资，估值一亿人民币，开始了新旅程。显然，作为这个充满快速奇迹年代里的创业者，我太慢了。横向比较的时候，我羞愧过，好在多数时候，我的参考对象只是之前的自己。

自从世界上有了朋友圈，我在这一年间看过的创业秘籍、鸡汤和故事，比过去所有的加起来还多。但必须承认，看过大量睿智真理之后，会增添新的自我怀疑，因为成功者们给予的真理和我的创业过程贴合度极低。从一开始，我就不是专家，不是异类，没有宏大的中国梦，也没想过改变世界。

1. 一张背景板

2006 年春天，我二十八岁，在中国人民大学读研二，专业是艺术设计系里的新媒体。由于内心总对本科的播音主持专业的文化结构带有隐隐的自卑（其实现在想想，跟播音主持专业有什么关系啊？明明就是自己懒散看书学习不够，自己造成的肤浅却赖专业不好），因此终于恶补了些知识，精神上还是很愉快的。

精神上愉快不假，但是毕竟考研之前在外企工作了三年，读研究生的时候没收入，一对比在外企时候的 Lifestyle，物质上就不太愉快了。没有收入的状况一直从研一入学持续到研二期末，直到我接到前同事打来的电话。

2006 年 6 月的一天，午后。
中国人民大学学知楼，332 研究生宿舍。
宿舍进门右手靠墙是紧挨的两张上下铺，左手是相连的四张书桌。
插画系的米秀和我坐在书桌旁，我正上网乱看，米秀穿着一身布满粉色小熊的睡衣，抱着半个西瓜一直吃。我的手机突然响了。
我接完电话，问米秀："Illustrator 你用得熟吗？"
米秀说："还行，但是好多快捷键记不住。"
我说："我原来公关公司一同事问咱设计会议背景板能不能接？"
米秀说："接。"
我说："那不如以工作室名义接，比较大牌。"
米秀说："嗯。"

我说："那得给工作室起个名儿。"

于是米秀放下了西瓜，两人开始提出一个又一个英文单词作为假想名字。

我问："Motion 这个词儿你觉得怎么样？"

米秀说："有力量、很中性的样子。"

我反复念叨了几遍，觉得不满意："干瘪、单调、不完整，咱们应该造一个组合词。Motion 是动机和过程，但是一件完整的事儿，还应该包括结果和呈现。"

米秀说："Post。"

我说："Motionpost，这个好。"

米秀说："嗯。"

然后我打开 Illustrator，设计了 Motionpost 第一个字体 LOGO。接下来的一个星期，我用 Fireworks 做了第一版简陋的网站。2006 年 6 月，Motionpost 工作室正式建立。第一单，我收了前同事所在公司 5000 块钱，和米秀合伙把设计做完了，把 2500 块分给了米秀。

如果分析一件事萌发的契机，会发现这契机是神秘的。在我七年前创业的起始点上，需要几个条件同时存在：前同事、前同事的设计需求、前同事选择把电话打给我、愿意分担任务的米秀、我和米秀都会些 PS 和 Illustrator。按照后来商科的创业元素套用，它们分别代表了人脉、人脉转化为客户、客户需求、团队和核心技能。向上追溯，我实在是说不出一个远大理想和富于逻辑的故事，总之，Motionpost 工作室开张了。

2. 几个大客户

我和米秀组成的 Motionpost 工作室除了设计背景板，也做整体活动 VI，包括 LOGO 及相关延展，收费在 5000 元到 10000 元不等。我接活儿，再分包给米秀，几个月中我们做了七八个类似项目，逐渐有钱逛街买衣服和高级化妆品。我俩逛完街，吃完餐厅，表示对研究生生活十分满意。

一天正逛街，路上遇到前男友（此处故事可参考已出版《女人明白要趁早》中《变心需要理由吗？》）的朋友。前男友的朋友嘛，问我过得好不好，那必须是说好。为了证明自己过得真的好，我还吹嘘了一下 Motionpost 工作室的情况。不料这朋友听后说："以后我帮你介绍客户！"

在遇到她之后的半年中，她至少帮我介绍了三个客户，涉及三个新建餐厅 VI 全案设计和制作项目，其中两个位于 5A 写字楼商场业态里。她引荐我的方法也非常独特，从第一个人开始，她就把我带到对方面前，充满自豪热情洋溢地介绍说："这是我的好朋友王潇，她自己开设计公司，她做的设计特别特别好！"我当时就吓傻，因为我根本没做过任何餐饮类设计，完全没有任何经验和案例！况且我在平面设计上完全就是二把刀，快捷键和工具都认不全，更别提制作了！

三个人听完介绍的回答都一样："哦，那先做一套方案给我们看看。"我也只好都硬着头皮微笑点头，人前先应承下来。

我应承之后正不知如何是好，噩耗袭来，米秀拿到 Offer 要去英国念书了，

Motionpost 只剩我一个人。我就赶紧发招聘信息急招平面设计师。招到一个我觉得不错的，就和他一起开始迅速做方案，熬了一夜又一夜。要说创业的感觉，那种未来不明却又充满干劲的日子，那时候绝对算是初体验。我一心想接下那三个客户，因为每一个给出的预算都远远超出了我和米秀做的那些会议设计。我甚至大胆到在并无把握接下客户的时候，已经在支付设计师的工资成本了。

后来在给企业风险管理公司做项目时，我学习到风险偏好的概念，回忆起当年举动，马上意识到自己或许本身就是个高风险偏好的人，无论是先天遗传还是环境影响，这种偏好会参与决定一个人所选的生活方式。当然，还有一个原因，当时之所以敢于垫付设计师工资而去赌三个项目，我觉得那是因为，我第一次闻到了钱的味道。

然后成功接踵而来，看过设计稿之后，三个客户先后把项目交给了我。作品被人肯定，被金钱肯定，是一种终于长大成人的喜悦。初出茅庐有人识货，对买货人简直就是感激，因此对重复改稿和披星戴月都全无怨言。

在其中两个餐厅的广告灯箱第一次亮起的那两晚，我都跑去观看。就在此刻我的脑海里，那画面依然非常清晰：一个在丰联广场，一个在赛特购物广场，夜幕降临的时候，我站在楼体的对面，隔着广场和街道向上仰望。灯光亮起，我觉得世界上只剩下我这样一个小小的人和那广告牌，中间街上的车与人都是来去匆匆的模糊面孔。“你们看到的灯箱里正亮着的，是我设计的广告呢！”我心里这样呐喊着，就像青春电影里的角色，爱上了一个人后抑制不住地想告诉全世界。

现在看来，我的朋友和她介绍的客户应该称作转折点事件。很多人与事都会累积叠加着改变我们的人生轨迹，但在无数遇合过的人与事中，会有那么关键性的几个，也许是与他们的一句话、一次会面、一个行动。没有他们，我们后面的人生也许会改写。

如果在这个阶段有什么可以总结的话，那就是：勤出门，积极友善地对待过往友人，告诉他们你在做什么，以及，做一个胆子大的人。

3. 最后一根稻草

可想而知，我在研究生三年级并没有好好学习。我迅速从学生变成了一个小生意人，乐此不疲地奔波在各个客户的办公室和人大校园之间。

那段时间我获得了一种新的活法，人很亢奋。见人、做设计、反馈、修改、收钱、制作，所有事情在我人生里密集而史无前例。由于没经验，中间当然有受挫，但是新鲜感远远大于受挫，就像正在学走路的婴儿不会因为摔跤而气馁，因为直立行走的体验实在太具诱惑力了。

到了研究生三年级毕业前夕，我有两个选择，去面试上班，或是继续做一个乐此不疲的小生意人。我没费太多思考就暂时选了后者。说是暂时，因为直至那时，我的内心都还在告诉自己，我的接活做活是在玩耍，是刚好，是自然而然，并不是我主观坚定的选择。行为上，表现在我从未真正去想注册一个公司。

现在看来，不是真的不想，而是因为心存恐惧。行为相对思想，会滞后更会自欺欺人。事实是，当领完毕业证书后我的同学们去上班而我还在到处接活儿时，无论我是否承认，都已经对人生做出了选择。

但人生选择这类大事，往往需要最后一根稻草。它压垮你，你才会真正去想努力朝一个方向站起来。

研三毕业，搬离宿舍，我正在为办公场所发愁时，有个一直在帮我开发票走账的公司刚租了新办公室。办公室有三层，第三层有一半空间闲置，公司老板盛情邀约我们入驻，表示房租以他公司的日常平面设计需求置换就好。我高高兴兴入驻，挂上了Motionpost招牌，又招聘了几个设计师，如火如荼地开工。

现在看，小设计公司接活做活，通宵达旦，上一单与下一单之间充满投机性，产品以客户主观意志为标准，生产方式毫无规律，出卖单位时间劳动力在慢车道发展，不存在幂次法则的突破口，其实谈不上是真正的创业，充其量只能算作有雇佣关系的自由职业者或者手艺人或者包工头。但当时的我可不这么认为，我认为我不仰仗依赖任何大机构大平台，我靠才华和技能吃饭，朝不保夕，从不知道下一单在哪里，然而我活着！我简直太酷了！这不是创业是什么呢？

我当时还犯了一个致命的认知错误，直接导致了最后一根稻草的到来。这错误就是：由于使用免费办公室，我错误计算了运营成本和收入的比例，认为自己的设计工作室做得还不错。

在进驻到三层办公区半年之后某天，公司老板突然面无表情地对我说："发票也一直帮你开着，但老帮你就是害了你。真想创业不可能靠免费，你下个月开始交房租吧。"

我当时都慌得不敢看他，感受很复杂。首先是原来说好的其实随便可以反悔，约定瞬间瓦解，出乎意料；又发现聪明才智在别人眼里一文不值，有些愤怒，一直以为替人做些平面设计是正大光明的置换，原来并不是。既然不是，我就成了寄人篱下还觍着脸多吃多占的人，但我认为我不是主观故意这样做的。被这么一说，感觉尊严被污蔑了。

当时觉得委屈不已。是他邀请我免费入驻，半年后又是他突然要收房租。而当他宣布收房租时，我才发现我的定价和利润率都有问题。再细想，是我自己选了做设计工作室，是我自己谈的客户，又是我自己答应的入驻。现在其中一个环节崩塌了，我该怨谁？大概还是得怨自己。是我幻想免费午餐就太天真，还是他破坏口头契约很让人失望，我一时想不清，总之那天有点想哭。

今天往回看，我必须要感谢这根稻草。通常，催化人做出选择的原因有两种：一种是正向的，由于为选择提供了机会和资源，促使选择加速发生；第二种似乎是逆向的，是切断其他可能，逼你立刻做出选择。也许，一个通常平静状态的我，如果失去了免费舒适的办公空间，会考虑停住不做；但他的话打醒了我——“真想创业不可能靠免费”！那么我到底想创业吗？如果不靠免费我能活吗？我对未来和能力边界第一次产生了巨大的好奇，几乎是在他讲完那句话的十分钟之内，我感到热血在体内流淌，决意战斗。

奇特的是，每次巨大的决心到来时，在那决定性的瞬间，身体往往会一起反应，热血上升，不自觉地屏住呼吸，然后头脑会突然安静，像隔绝了周围的声音。像有个声音在说：就是这样。

我在他说完三天后，搬进了万达广场一间六十平米的办公室，并用新的办公地址注册了自己的公司，正式开始了之后七年的创业生涯。

以上，是我的创业前传。

Ⅱ. 创业七年 ❷朝霞、包裹和我

「 一切我都不曾想到，我是懵懂创业的，
是自己因为好玩突然跳入池水里，
却不得不学会游泳的。 」

从 2008 年注册公司，到 2013 年公司业务转型，是五年。这五年我只做了一件事——让公司活下来。

让公司活下来，从实时的结果上看，就是每天都要围绕一个目标：让公司账面时刻是正的，拥有健康现金流。健康现金流就是有钱，有钱就等于人体有血，有血才能活着看到第二天早晨的太阳，其他都是瞎掰。对于一个初创的企业来说，这个目标很难。

从免费办公室搬走以后，我带着四个设计师驻扎在万达广场开始接活做活。因为对未来没把握，六十平米的办公室只租了一年。第一年稀里糊涂地活了下来，获得了几分信心。第二年搬家，在后现代城租了一套二层的 Loft，一百二十平米八个人，业务从做商业设计拓展到活动策划与执行，我是公司唯一的 Sales。

既然活着是第一要务，我对客户是基本不挑的，也没资格挑。到现在，我也依然认为做商业设计和公关公司的方向，不是我深思熟虑的选择，而是误打误撞从研究生时代赚点钱之后的蝴蝶效应。或者说，当最初的小买卖滚动起来以后，后来的路线毫无战略可言，全是机会主义路线。在我这里，对机会的判断基本取决于三点：一、是否有利润空间；二、我是否掌握基础技能；三、是否算新业务种类的新冒险。

比如接了个电话，本来是咨询做 A 业务，当被问及是否能承接 B 业务时，只要和我的知识边界接壤的，我都腾地涌动一下热血，特别想试试，于是公司几个人就被我逼着做了 B 业务。当完成了几个 B 类案例之后，我们的主营业务就欣然变成 A+B，后面又出现的 CDE 依此类推。于是，我们从商业设计开始拓展，涉足了企业内刊的编辑制作、展览展示、庆典年会、路演试驾等等不一而足。团队的工作内容包括亲自动手或外包 VI 、设计拍摄、后期视频、舞美搭建、灯光音响、编辑文案、流程管理、媒体投放等等等等。市场与公关与广告本来就是完全接壤的姐妹行业，实战中各种交叉学科高度杂糅在一起，而每次学科的排列组合都会变出新花样，我和团队摸着石头过河，跌跌撞撞，也竟然活下来了。

我所知道的小型民营公关活动公司，都活得挺不容易，挣的是产业链末端的辛苦钱。我所说的辛苦，不是起早贪黑，而是投入和产出不对等，且缺乏尊严。在我看来，整个公关行业可以大而化之地分为三类：第一类，是洋气的专家机构，比如我原来就职的一家顾问公司，都是有历史有光辉业绩的跨国企业，各种层级的顾问都英文流利且与律师行或麦肯锡一样按小时收取费用；第二类，是中型民营公司，专门取得大型国企民企年单，活动呈现结果不论，但收费绝不便宜，个别可疑项目的主要功能几乎可以判断是用来洗钱，这事儿还不能细说；第三类呢，就是在下领导的小麻雀型公司，江湖又称“擦鞋”公司，处于品牌宣发下游的下游，产业链末端的末端，以能承接到第一类第二类看不上的甲方小预算活动为己任，偶尔也承接第一类第二类甩出来的外包项目。也就是说无论年初的品牌预算多么慷慨，策划方案多么雄才大略，总是要找些踏实耐劳的“手”来把一切落实，手当然要越便宜越好，在过程中，脑还会时不时地指挥手，矫正手，甚至奚落手的事情也时有发生。三种类型的公司都是乙方，但生活方式差别极大，哎，各种糟心往事涌上心头。

凡遇甲方质疑、推翻、谴责、拒付，我就会想起往昔：我当年不是一个义正辞严的央视新闻播音员吗，不是应该每逢整点就庄严地出现在屏幕上吗？我现在这是干吗呢？

有一回，我们给一个新闻发布会准备物料，临发货前，才发现有手提纸袋开胶了。其他同事已经去了会场，我只好和剩下的人给纸袋加固。桌上没地方，我就跪在地上，兴致勃勃地一个个摆弄纸袋，粘贴不干胶。那天我的研究生导师约了来看我，他来的时候我还没弄完，着急发货，只好让他等着。等我抬起头，发现他望着我，眼睛里都是叹息。我知道他怎么想，他在想好不容易念完的硕士，为什么在粘纸袋呢？或者他想，说好的创业，原来就是粘纸袋吗？

我当时觉得让导师不解和失望了，挺惭愧的。我也想解释，但怎么解释呢？说我其实不是在砌一块砖，也不是在搭一面墙，我是要修建一座教堂？我根本都不知道那座教堂有没有，是什么样。我当时只是想，我粘好了纸袋，活动就顺利了，客户就满意了，就付我尾款了，我就多了一个成功案例和下一次更大活动的头款垫资了。良性循环，活动一定会越来越大，就是这样。

当初决意自己创业的时候，幻想的图景中有数钱、有自由、有挑灯夜战运筹帷幄、有十指插入乱发后猛然获得一个灵感，但肯定没有粘纸袋。不但没有粘纸袋，也没有改稿改到天荒地老，也没有甲方在唱卡拉OK打电话让我过去结账，也没有比稿后方案直接被甲方拿给另一个乙方。一切我都不曾想到，我是懵懂创业的，是自己因为好玩突然跳入池水里，却不得不学会游泳的。

还有一回，刚创业的那年冬天承办客户活动，急用某种稀缺的物料，委托一个在铁路工作的朋友随列车捎到北京。凌晨火车到了，我去西站接货，但是死活打不通捎货人的电话，也找不到站台。眼看那趟车停靠的时间就要过了，我还在半夜到站的人流里钻来钻去，羽绒服里都是汗，充满焦虑和凄惶，心底又泛起隐约的自我怀疑。我觉得一定是哪里不对，一定不应该是这样的——我为什么会在午夜的西站挤在人流中焦急无助地拨一个陌生的号码等一趟绿皮火车呢？这一切都特别荒诞，尤其不是我想象中自己的样子。直到列车停靠的时间过了，电话依然没拨通，站台依然没找到。这意味着我错过了那个重要的活动物料包裹，那活动怎么办呢？

我沮丧地往回走，正努力想怎么才能拿到包裹，电话响了，对方告诉我那趟车已经进了停靠总站，叫我去取。我高兴坏了，寒风中打到一辆车，终于找到了列车停靠站。那场景还是很震撼的，黯淡的天光中，我看见一排排的铁轨平行横亘到很远的地方，那是我第一次看见停靠站。

联系人告诉我那趟车的位置，我才发现停在离我很远的地方，中间隔着若干条铁轨，可能是十几条吧。我观察周围，好像除了翻越铁轨过去也没有别的办法。停靠站铁轨和平常见到的不一样，都铺设在半人高的路基上。于是我开始一条一条地翻铁轨，吭哧吭哧地，撅着屁股，我当时希望那个时刻永远不要有别人知道。翻的过程中，我第二次感到巨大的荒诞，像在魔幻主义画面里。铁轨冰冷，四周寂静，我只听到自己的呼吸声和衣服摩擦铁轨声。往左往右看，每一条铁轨闪着寒光，延伸到不知名的远方，放在白天，一定充满了诗意。每翻完一条，我就查看一下剩下的铁轨数量。毕竟胜利在即，要拿到包裹了，活动物料搞定了。

终于拿到包裹，向送件人说了谢谢，我开始折返。包裹挺大挺沉，我得先把包裹拖上铁轨，自己再爬上去，把包裹顺下另一面，再跳下去。一直重复这个动作，速度就只能比来的时候慢很多了，跳上跳下浑身大汗。我心想多亏平常练了，技不压身，论胳膊大腿还是有力气的。荒诞还是荒诞，但任务完成，心情好多了。

忘了是凌晨几点，铁轨快翻完的时候，天渐渐亮了。铁轨也跟着亮起来，由远及近，一根根，像钢刀从我脚下插向天边。我看见远处的晨光，于是在一条铁轨上停了下来，站在那里，深深呼吸。当时美丽的朝霞也许出来了也许没有，但在我记忆中是有的。因为那一刻对我很重要，广袤的天地间铁轨中，有朝霞、包裹和我。

当然，钱来钱去，也总有些好日子。但最初几年，比现金流告急更可怕的，永远是严重的自我怀疑。

一般看大企业家的成功者自传，大家都格外爱看那些最艰难的时刻，我也爱看。首先可以代入自身，对比眼下，觉得自己这点困难和人一比，也还不算太难，聊以慰藉；然后是读到后面往往会有背水一战、绝地反击时刻那戏剧性的快感。蹊跷的是，这类故事总是相似的，几乎每一个成功企业家都用了同一个剧本，前面的失败和煎熬越低落，后面的成功就会显得越壮阔。就像希腊神话的写作要义，英雄必须经受心理和肉体的巨大考验，然后才能接受使命踏上征途最后走向胜利巅峰。在人们熟悉的故事结构里，英雄的故事全像是被写好的。在眼下，这种故事都用两个字的流行语概括：逆袭。

然而事实是，无数幻想人生巅峰的小企业主都在经历磨难和煎熬，坚持着等待逆袭时刻，但逆袭时刻真正到来的，只是其中一个极小的概率。就算理性上知道这一事实，小企业主也往往选择坚信自己就是那个小小概率，不到最后一刻不愿意认命死心，我也一样。

我记得公司开张以后账上第一次出现赤字，而我完全不知道下一单会在哪里的那天。等最后两个年轻同事调侃着咯咯笑着下班了，我关了灯坐在黑暗里，陷入了深深的自我怀疑。那是我第一次因为创业而带来的愁云，和以往的考试忐忑、面试紧张、选择犹豫甚至劈腿失恋全都不一样。

那种愁云很钝，很直接，像一只密不透风的大锅盖，除了自己，无法怨恨任何人；除了自己，也没有任何对象可以研究。

既然研究自己，我反复想，到底是因为什么？是因为我不专业吗？是因为我经验少吗？是因为我性格过于高冷吗？是因为我争取得不够吗？是因为我没做灰色交易吗？如果以上皆是，那我真的适合在这一行创业吗？如果真的不适合，我需要再坚持多久？一周还是一个月？如果一个月都没起色，我是要在一个月后就解散公司吗？

那天在黑暗里我接了一个电话，是一个久不联系的中学好友打来的，她去欧洲念书，不知为何选择在那天给我打电话，只是聊天。我是那种当别人问我过得好不好，必定答“很好”的人。但那天我对她说“不好”，黑暗里，我听见自己的声音，清清楚楚的。她觉得难以置信。“不可能！”她说，“你知道吗？我一直觉得你就是那种极少数的人。前一阵我听说你自己做公司了，当时就觉得这就是你该走的道路，肯定会和大多数不一样。如果你不行，那大家都不行。”

她一下说中我最大的恐惧。长久以来，我都以为我是极少数的人。用“以为”这个词，是因为我很怕有一天某个真相揭示出我在自欺欺人，除非我用事实自证这一切。

我一直都不信真的有怀才不遇这回事，因为持久的表相就是事实——如果一个人连续三年看起来像庸人，说话像庸人，办事像庸人，那他就是个庸人。我怕我就是。

我感激她的电话，挂了电话我想：这只是赤字的第一天哎，我还是健康地活着，并没有穷死。如果大多数的人在第一天已经恐惧了，如果我是极少数的人，我就不该那么恐惧，至少可以多扛个三天吧。

我数着日子，扛了二十四天，下一个单子来了。

在那以后，我常常使用同类思考方法来克服困难——当需要解决问题时，我会想，如果我是大多数，我会怎么解决？如果我是极少数的人，我应该怎么解决？我必须持续选择极少数人的方法和道路，才能持续地自证。是的，持久的表相就是事实——如果一个人连续三年看起来像极少数的人，说话像极少数的人，办事像极少数的人，那他就是个极少数的人。我希望我就是。

Ⅲ. 创业七年 ❸幂次法则与黑天鹅事件

「 浅薄的人才会相信运气和境遇，
强者只相信因果。 」

“人生中的幂次法则：幂次法则不只对投资者很重要，它对每个人也很重要，因为每个人都是投资者。一个创业者只要花时间打理一个初创企业，就是在做重要投资。因此每个创业者必须思考他的公司以后是否会成功、会有价值。同样，每个人都是一个投资者。你之所以选择一份职业，是因为你相信自己选择的工作在今后的几十年中会变得很有价值。你不只拥有自己生命的代理权，还拥有这世界上某个重要角落里的代理权。而这一切都要从抵制不公平的概率主宰开始，因为你并不是一张被概率决定命运的彩票。你应该将全部注意力放在你擅长的事情上，而且在这之前要先仔细想一想未来这件事情是否会变得很有价值。”

这是PayPal创始人在《从0到1》中写下的一段话。这本书在2015年很红，在创投圈几乎人手一本，书里数次提及了幂次法则（Power Law），令我非常好奇。从幂次法则展开阅读，对照自己的人生案例进行理解，我获得了极大的启迪。幂次法则般的成长是每个企业与个人最大的美梦。虽然这是一个艰深的数学甚至是物理学及社会学名词，我依然认为非常需要掰开揉碎从零普及——尤其是，如果一个人渴望实现梦想，渴望找到世俗成功的阶梯，他真的需要预先懂得这个原理。下面，我试试用我能理解的白话来描述这个原理。

首先，幂次法则与黑天鹅事件一起，解释了许多人类社会的分布与事件。通常，咱们都觉得，凡事都是正态分布的。正态分布又叫高斯分布，是高中函数的一个基本概念，当然后来很多人估计都忘光了。正态分布长这样：

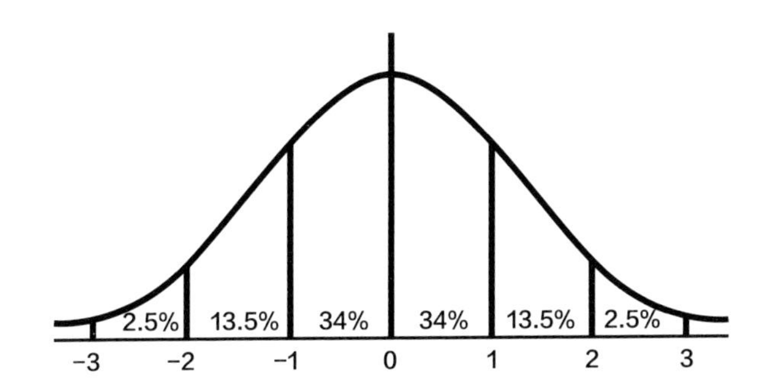

我们通常会觉得，在人群中，无论按照哪种情况来统计，都是中间的人最多，极端的两头最少。比如中等胖瘦的人占大多数，特胖的和特瘦的都少，这个很好理解。正态分布描述的就是一个大多数的世界。

然而，世界上还有许多事，是呈现幂次法则分布的。

幂次法则分布长这样：

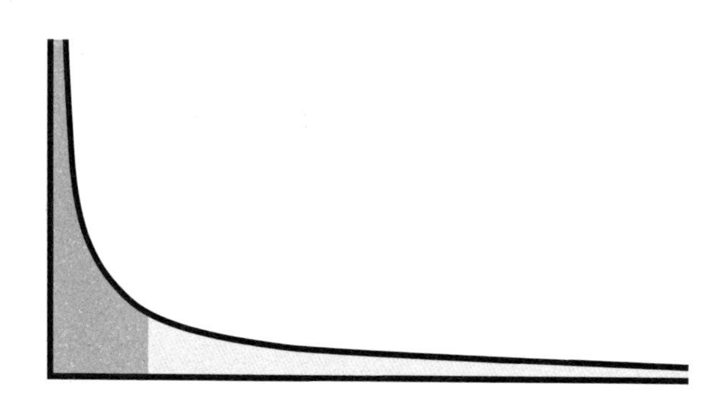

一个耳熟能详对幂次法则的描述就是 80/20 法则，即“重要的少数与琐碎的多数”原理——在一件事情的发展与结果之中，80% 的价值是来自 20% 的因子，其余的 20% 的价值则来自 80% 的因子。比如 20% 的人口拥有 80% 的财富，20% 的员工创造了 80% 的价值，80% 的收入来自 20% 的商品，80% 的利润来自 20% 的顾客，等等。幂次法则真正勾勒出，不平等才是我们这个世界的本质属性。

显然，我们如果都是函数表里的一个随机变量，这个随机变量肯定都希望干那 20% 的事，成为那 20% 的人。有了这个目标，我们就得知道满足什么样的条件，才可以成为 Power Law 表中最汹涌的那一小撮变量。根据《黑天鹅》中的分析，这样的随机变量需要有两个重要特点：

1. Scalable 可扩展。我理解是病毒式放大，可做乘法。
2. Self-reinforcing 自我强化。我理解是正向循环，马太效应。

这里撇开世界大事，只谈个人发展，如果把幂次法则放到生活里，我是这么理解的：如果你用一小时做了一件事，通常这件事做完以后的影响和效用都非常短暂，做完即止。比如吃饭、唱 K、逛淘宝、玩游戏、看韩剧、打扫房间这些事，只能高兴满意一小时，但是属于不重要不紧急，做与不做，做好与做坏，影响无法深远，更无法在未来生长出更多成果。

如果你读书、学习、锻炼、专注兴趣，用一小时勤恳地做一件长线工作，那么这类事情的影响和效用需要通过长期累积才能显现，属于重要但不紧急。我认为这类事情真的非常重要，因为它们属于幂次法则的土壤，负责给出足够的酝酿和蛰伏期，只有它们能为黑天鹅事件的时间点提供发生条件。

所谓黑天鹅事件，是指具备了以下三个特征的事件：

1. 不可预测，具有意外性。
2. 造成极大影响。
3. 事后回头看，觉得其发生符合逻辑。

“黑天鹅事件”这个概念通常用来描述数次国际性经济危机的源头事件。但我觉得，朴素人生中也可以充满黑天鹅事件。

如果你是学生，偶然看到一个专业的招生简章；如果你是剪辑爱好者，用一小时制作发布了一个病毒式视频；如果你是个演员，用一小时见到了决定你命运的导演——那么这一小时的效能和对你人生的影响力，很可能会完胜任何其他人生时刻。你未来的推演将起始于这一小时，这一小时内你的正向成果将会被无数次地提及、使用和放大，直至改写你后面的整个人生。在过去，我们可能称之为“Big Day”，但在移动互联网时代，“Big Day”这词不足以形容这种放大，在《黑天鹅》里面，它被称作“Black Swan Event”。

因为移动互联网，幂次法则在这个时代得以空前来临。但就人生中的黑天鹅事件而言，我认为我在自己身上验证了它。我的黑天鹅事件时间点非常明确，发生在 2008 年 11 月 3 日，我的三十岁生日到来那一天。

但那一天的我对此毫无察觉。我大概还记得好像是午后想着自己的新年龄，竟然还在床上无所事事地躺了一会儿，然后打算起来泡一壶红茶，在向茶壶里汩汩倒着开水时，看着蒸汽升腾，我获得了一个闪念。在这一章的开篇，我把这种时刻统称为决定性瞬间。但在这里，可以说若干瞬间中的最初的那个，就是黑天鹅事件的诞生时刻。

于是我坐到电脑前开始打字，一条一条写出我从生活中习得的教训集锦，用了一小时，不间断地打了三十多条，最后把整篇教训集锦命名为《写在三十岁到来这一天》，然后在当时流行的在线聊天软件 MSN 上，随手发给了两个比较亲近的人。

之后，幂次法则开始了。在 2008 到现在的七年间，这篇教训集锦被连绵不绝地疯转在各 BBS 上，各 Blog 上，各公司转发的邮件里，各短微博，各长微博，各微信朋友圈，各公众号，冠以各种各样断章取义的惊悚名字，比如《美女 CEO 说，不要太高傲，大家都是出来卖的》。我知道的是，在我认识的人里，所有人都在不同渠道看到过。

在教训集锦被疯转的第二年，有出版社建议我写书，把教训前面的故事写下来。2009 年底，我写完了第一本书，书名争执不下，最后很不情愿地定为我觉得十分恶俗的《女人明白要趁早》。这是“趁早”第一次出现。整个书名里，我真正喜欢的是“趁早”两个字。

然后，《女人明白要趁早》就成了畅销书，上个月我在香港转机，还看见这本书在 PAGE ONE 书店的畅销榜上位列第四，已经畅销了六年。既然成了畅销书作者，出版社必然劝我继续写，于是后面又出版了第二、三、四本书。现在正写的这本，是第五本了。

在《女人明白要趁早》出版后的第一年，我还在继续开小公关公司。但第二年，我就开始设计制作现在“趁早”品牌的核心产品效率手册，开始涉足文创行业。

我也曾想过这个问题：天赋、原生家庭、生存、兴趣、环境、资源，究竟是哪些因素决定性地影响一个人做出那一刻的选择？

如今我在想，“趁早”的由来，可以作为答案的一种可能。

2011 年底，我决定印制一批效率手册给客户做新年礼物。我是效率手册的重度用户，从来都认为效率手册是个平凡但实用的小工具，既可以承载思想，开发成本又低廉——团队有设计和印刷监督人员。于是效率手册的制作进入流程，一切按部就班推进，与其他的制作型项目没有太大区别。唯一的区别是，在这个项目里，没有来自客户的意见和制约，一切是我与团队在做选择和决定，效率手册里出现的每一个排版每一处设计，都可以是肆意而主观的——这对于乙方来说，简直是一种精神上的奖赏。

在决定制作数量时，有人建议制作 3000 本，其中 500 本当作赠送礼物，其余在淘宝卖掉。虽然那时我从未有电商基础，但还是采纳了这个建议。之后公司在淘宝开了一个店，起名为“趁早小店”，没有装修，全无经验，但还是在 2011 年 11 月，开通半个月后，卖光了所有效率手册。

上架开通的前几个小时我记忆深刻，兼当客服的姑娘紧张得不知所措，我到她的电脑前一看，卖家旺旺正在疯狂闪动，眼见窗口迅速形成了密集层叠。我被那景象震惊了，或者说愚蠢的我曾低估了电商的力量。

第一年的“趁早小店”是蒙的，客服、包装、快递，团队全是外行，办公室杂乱无章，大家却因为新鲜感和战斗状态而激动。一切都突如其来，一切都在实战中摸索。

这使我想起了很多年前看过的那本科普读物《世界是平的》，当时合上书我只读懂了一个命题——在这个互联网时代，如果再不凭借互联网作为平台和工具做事，就太晚了。“趁早小店”的开通，让我一下子真正懂了这个命题，这命题说的，正是幂次法则。

到了2012年，所有的2011效率手册反馈渐渐回来，当收到上千个关于2013效率手册的询问时，我意识到在这一条路上要继续向前了。

几年间，除了效率手册，小店里的产品线逐渐添加，但添加得非常缓慢和主观。像最初的效率手册一样，小店里只有平凡而实用的工具。概念也只有一个，Shape Your Life，一切都关于更丰富、更美好、更强大的自己。

当“趁早小店”里的产品超过几十万人购买的时候，拥挤的库房早已不是几年前的样子，市场、服务、产品质量也不再是一个我和团队闲暇时的游戏。2013年，“趁早小店”重新规范了包装、物流、客服，既然这个行业选择了我们，既然已经有了那么多认同和支持的人，“趁早小店”决心走上正规化道路。

从一个行业转战到另一个行业，这条道路并不好走，现在可以轻描淡写叙述的一切，实际过程从未省心。在2013年，我曾为此写过一段文字记录：

当初，我委托财务姑娘用我的身份证在淘宝开了个店，然后用这个店，把送客户剩下的3000本新年效率手册卖掉了。覆盖了制作成本还有盈余，我觉得自己决策挺英明。

当时女友塔塔挤对我：“以为多高端大气呢，原来就是一个淘宝店主呦！”我听了以后有点儿羞愧，心想可不是吗？淘宝是个大集市，我也挤在里面吆喝，弄点儿货然后卖掉，卖完了数数钱，Low，太Low，我怎么把自己活成这样了呢？

而且就卖光的 3000 本手册来说，也卖得稀里糊涂。我们是个公关团队，却不得不因为我的决策临时抽调人力包装发货写单子，杀鸡用牛刀。在整个过程里最令人费解的地方在于，明明看上去是初级简单劳动，但我们却几乎每一个环节都做不好。凡事不预则废，之前头脑简单心血来潮，只好自己扎扎实实品尝每一个苦果。

我们做公关活动，向来以专业自诩，强调流程明确体系清晰。所以一轮下来所有参与者都心里不舒服，说白了还是不服。人总是去尊重和挑战自己搞不定的东西，淘宝原来不是弄点儿货然后卖掉那么简单。我们决定调整态度，从零开始，当成一个项目来研究。于是整个团队坐下来，复盘。

复盘意味着审视和检讨每一个工序，充分讨论，把一切纳入体系，再一一决策。所有职能人员被重新对应分工：项目经理梳理项目计划，人力资源搭建组织架构图，设计师重设产品 VI，美工规范网页结构，物料监督采购与生产。还有核定出之前缺失的客服、仓储和物流的岗位职责和工作量。

在这之前我们没当真，在这之后我们决定当真起来试试。就算是一个团队游戏，也可以有两种玩法——用心与敷衍，专业与业余。游戏与项目从来也没有本质的不同，都可以通过重新输入和校正，去观察输出的差异。

当然，我们也复盘了初始产品脱销的原因。有些商业事件天然靠谱，是因为它有意无意地符合了规律。我们的公关团队离电商再远，却自带三个决定性的优良基因，第一个是原创设计，第二个是项目管理，第三个是执行到位。品牌策划、视觉设计、进度管理、生产制作、物流运筹、客服话术……所有我们的本行和交叉学科，所有缴过的学费积累的经验都融汇到了一起，在这个初次试水的领域里，莫名其妙串起了点滴。也许，是浪潮选中了我们。

复盘重启之后，我们惊讶地意识到电商大门后是一片广袤，一旦推开要面对无数未知的纵深。我自己也不得不再次开始了“每天专注三小时”的生活，恶补电商知识。到这个阶段，看任何书都不如看工具书能够直接解决技术面问题，尤其学费交多之后工具书已能看出故事书的感觉，一样提纲挈领开枝散叶，一个条目向下向外延伸和前尘往事配合着读，都能读出微微一笑或者潸然泪下的情怀。而每天的恶补，又让我唤醒了一个记忆，这不是具体的模式、平台和产品线，这是当年的创业精神，是读到实战干货时重燃的青春期斗志。

浪潮当前，从来没有绝对的红海蓝海，小船业已出发，懂得驾驶会好风凭借力，惘然无知会被分分钟淹没。环境既定，最大的成本耗费和危险，永远来自决策。而迟疑和逃避决策，也是一种决策，因为浪潮会裹挟着你前进。

无论凭借什么样的平台，找寻方向，探求本质，为未来而战是人类的精神，这精神从未 Low 过。理解到这层，我终于挺起胸——也许最高端大气的莫过于游戏和游弋于指向未来的浪潮，我是一个淘宝店主，同时还可以是一个自有品牌 B2C 电商的创始人。

此文写于2012年，现在读很羞愧，井底之蛙，卖了区区3000个本子，我竟然好意思称“是浪潮选中了我们”。2015年上半年，我们销售了超过30万本效率手册，也没敢再觉得自己是浪潮选中的人。不过现在回看，我真不愧为励志大姐，卖了3000个本子这等小事儿，也能把自己写得热血沸腾的。

随着畅销书的传播，我的读者越来越多。2013年5月，出版社为我在上海做了一次读者见面会。会上我见到一个读者，瘦小白皙，她站起来手握麦克风，还没张口就哭出来了。她告诉我和现场所有人，三年前，在她怀孕时，先生被诊断出严重的抑郁症，家庭随时跌入贫困，面临解体。她是如何在过去三年中反复地阅读我的书，用一己之力做出人生选择，舍弃收入无法突破的白领工作，用开网店来维持家庭。她说她今天站到我面前，是要告诉我，现在三年过去了，她的店已达金冠，在同类中排名第二，营业额近亿元！近亿元啊，我和大家都呆了！

当她讲完她的故事，我和在场所有人基本都哭了。因为我的书，我被很多人当成了榜样，但我始终觉得我的人生要务是开好自己的公关公司。因为自己知道，我有很多人性的弱点，所以不愿意持续公开暴露自己的蠢，也怕为别人负责。但上海读者会上的姑娘让我相信，纵然有弱点，但如果一个小优点被传播和分享出去，有多大的力量。因为她，和更多我没有见过面的她们，我愿意做一个励志大姐。我是一个励志大姐，从那天起，我开始认同了自己的另一个名字：潇洒姐。这原本是第一本书中我为第一人称的主人公“我”起的名字，但我意识到，潇洒姐这个角色代表的是一种生存意志，是一种双脚站立在世界上的精神。

2013 年 6 月，从上海回来，我注册了“趁早”。那天上海姑娘的故事，是我决定做“趁早”的决定性瞬间，我接受了我的使命。

2013 年 8 月 18 日，在天津的海河边，我又做了一个决定，全面暂停公关公司业务，全体团队转型做“趁早”。两年间，我又学到了一些道理：有些事是不能慢的，要杀伐决断，立即行动；有些事是不能快的，要沉静谦卑，酝酿等待。往前走，得失取舍，时间看得见。

做完决定两年后，2015 年 8 月 10 日，“趁早”完成 2000 万元首轮融资。从 2008 年 11 月 3 日下午的一篇教训集锦出发，幂次法则一直在发挥作用，“趁早”的前传告一段落，我和团队走上新征程，一切刚刚开始。

究竟是“天赋、原生家庭、生存、兴趣、环境、资源”中哪些因素导致我和我的团队承担了“趁早”的使命，已经很难说清。这是一个复杂的过程，发展、演化、蝴蝶效应、黑天鹅事件、无心插柳、水到渠成，朝前走，终有一天串起了点滴。

人生关键处只有几步：生活只是少数黑天鹅事件影响的累积结果。

Ⅳ. 创业七年 ❹趁早

「 虽然今天我依然弱小不美，但是我为明天的
强大美丽做了功课，我在路上。 」

“你们‘趁早’，是一个反人类的组织！你们现在的产品也反人类！”几个月前，一个以犀利无情著称的风险投资人坐在我的对面，他这样告诉我。

他还告诉我，这个时代，有商业前景的品牌和产品都要指向大众的刚需。大众的刚需，就是衣食住行、饮食男女，要触手可及，且省时省力。说白了，就是要懒、要馋、要笨、要门槛低够直接，无论是饮食还是男女，所见即所得，一键满足。“而你们完全反着来！反对懒、反对馋，天天勇猛精进，你们就像是一伙清教徒！”他说他在几天前潜入了几个趁早读书会QQ群，认为那里面上千人早晚打卡互相勉励的情景简直令人发指。

我看着他，心中产生了两个疑问：第一，即使是从产品设计角度出发，是否真要用懒、馋、笨、门槛够低够直接的特征来界定大众？第二，如果这真的是大众，是否有一群人，不愿意选择淹没在大众之中？

因为，我很确定这群人是存在的，这群人现在就聚集在一起，我也是他们中的一员。他们现在还有个共同的名字，叫“趁早”。

从2014年4月23日开始，“趁早”全国各地的读书会和跑团陆续自发成立，此刻，如果在新浪微博搜索包含“趁早读书会”关键词的账号，会得到近200个结果。然后，“趁早”突然就成了这一年特别流行的东西——社群。一时间，我看到听到许多人在探讨社群，谈建设、谈原理、谈运维，唯独没有谈到灵魂和懂。

社群是人的缔结，无论是在一群人之间还是在两个人之间，能让人与人缔结真诚、隽永而生机勃勃的关系，一定不是因为皮囊，也不是同吃了一顿饭，买了同一件衣服，甚至不是同看了一本书，但一定是因为有着同一种活法，或对某种活法的追求。

“趁早”社群之所以诞生在这个年代，是因为之前散落在四面八方的人们，通过移动互联网的手段，互相指认找到了彼此，汇集到一个叫作“趁早”的星球上。大家能够在线上热情拥抱，然后跑到线下激动地上下打量对方，眼睛里写满“啊原来你（这个偏执狂）也在这里！”

“趁早”是一群人，也是一种活法儿。这种活法儿集中体现在各个读书会及跑团线下活动的典型内容里。因为是同类，大家在找到彼此前很久，早就是这么孤单倔强地活着了。

那么，“趁早”读书会和跑团的活动，都有什么典型内容呢？

▶ 讲故事

最早，大家会交流一下我书中的故事，但很快，就会蔓延到其他案例，包括收纳身边人的故事，然后一定会指向如何书写自己的故事。故事从来都是最有效的传播，人类几千年的活法儿就是靠史诗、神话、戏剧、小说、电影里种种的故事流传下来，故事给我们演示了各种样本的榜样和梦想。而趁早星球上只不停地讲述着同一类质感的故事：人如何克服困难，依靠自己达成所愿。

持续地拥抱这类故事并不容易，要屏蔽掉许多来自传统价值观的知足常乐和平安是福，要操作战术上的赢、阶段性的胜利，要冒险探知潜力的边界之后，再冷静接受自己的限制。因为只活一次，活时尽兴，才能去无所羁。那么，有生之年，尤其是青年时代，趁早星人会选择不认命，不停止。

▶ 做计划

这是一个趁早星球上的必选仪式性核心项目。有了榜样活法的故事在先，大家开始思考我想怎么活以及我能怎么活。努力去观察体验这个世界，然后考量自己的天赋和能力，再为自己勾画出蓝图。按说这是一个复杂庞大的工程，然而趁早星人竟然能纷纷做出一生的计划，七年计划，一年计划，再向下拆解成月计划和周计划，且日日打卡，乐此不疲。

趁早效率手册之所以成为极致爆款单品，成为移动互联网时代里反人类的存在，是因为它对趁早星人来说从来不是一个本子！我们每天重复开启、书写、打钩的仪式，就是在践行不认命、不停止的诺言；我们捧着它，就是捧着自己闪闪发亮的未来。

▶ 打卡

此刻，我决定说出这个秘密。

以我为例，我之所以长达二十年地使用效率手册，是因为它一直在极大地满足我对安全感的情感需求。当二十岁前路迷茫时，我用计划告诉自己，我一定有未来。我用具象和量化的条目描述未来，让它们在我的想象中清晰浮现，为自己撰写故事。这让我充满理想吗？不，这让我在情感上觉得方向性的安全——我是有灯塔的，那个大方向应该指向理想；然后，我把大计划向下拆解，每天早晚都会践行并打钩。这让我觉得勤奋吗？不，这让我觉得我今天又为我的未来添砖加瓦，积下跬步，这让我觉得格外安全——虽然今天我依然弱小不美，但是我为明天的强大美丽做了功课，我在路上。就像一个原始人类因为恐惧未来的饥饿而每天储蓄一点儿粮食，每储蓄一点儿，恐惧都会少一点儿，安全感多一点儿。每个晚上，原始人在储蓄完当天的定额后，终于可以欣慰地睡去。

在这二十年中，我从未试过比打卡更有效的安慰剂和安眠药。但同时欣慰的是，长时间的积累，必须会带来正向效果，我收获了许多。我知道，无数践行打卡的趁早星人已和我一样收获了许多，还会收获更多。只做计划不执行没有用，只道听途说一些鸡汤道理，不以行为验证，当然过不好这一生。相对于依赖他人和依赖机遇或平台，持续自我积累带来的安全感最踏实，最少惶恐，一经获得，从未失去。真要分析什么是这个时代人们的刚需，我坚定认为，在保暖之后，对自我安全感的需求，真的是刚需中的刚需。

打卡令人上瘾，是因为自我安全感的获得让人上瘾；在持续地打卡之后，感受的满足还会再上一个层级——体验到意志力的优越感。在趁早星球上，还有一个奇特的现象，在每一次线上线下的聚会交流中，那些更理性自律又有趣的成员会获得大家的更多喜爱，而非趁早星球之外的世界里人们所晒之财富美貌。在这里，大家晒打卡，晒收获，晒阶段性对比，以意志力的优越为优越。因为在这个星球上通行的价值观里，总是先以历史纵向比较为参考基准，人与人目标相异，起点不同，只有努力不虚。

这个星球的人也不会相信这样的逻辑，不相信有价值的产品必须要满足大众的粗俗，满足懒，满足馋，满足不动脑、不前进，这不该是大众。如果这样，人类不会进步，四年一届更高更快更强的奥运会也不会举行。当然还有一种说法：世界上只有 20% 的人会时时反省、修行、自我鞭策；还有 80% 的人则浑浑噩噩，得过且过，周而复始。我想说的是，首先我们应该承认和接受世界的多样性，其次那 20% 的人当然活着比较费脑子。但是，大众的文明与进步主要是这 20% 的人创造的。而趁早星球的人特别想选择成为这 20% 的人。

如果现在有人问，如何用一句话描述“趁早”到底是一群什么人？在做什么事？也许可以总结为：

我们是一群选择成为 20% 的人，我们一直在努力克服人性自身的弱点。是的没错，我们就是反人类，我们反对人类天性里让我们欲罢不能的部分，反对胆怯、退缩、懒惰。我们聚在一起，讲故事，做计划，打卡，日复一日，为了克服懒，克服馋，克服不动脑，克服对选择的懦弱、对未来的恐惧。这样的理念和组织，它不可能反人类，因为，它应该是人类的希望。

最后，送上小诗一首：

时间看得见

他们就是在灯下夜读的人
他们就是闭关练剑的人
他们就是专注追捕猎物的人
他们就是在羊皮卷写下文献的人
他们
活了几个世纪
在此时此刻
他们终于找到了彼此
他们是趁早星人

Part 3 你什么都没有错，只是太弱

“命运要我蛰伏，我就蛰伏。耐住寂寞，回山洞里，把功练成。”

有一次翻到七年前的博客，挺吃惊。竟然琐事能也写一番发表，还配上照片，自得其乐，显而易见对生活有掩饰不住的小满意。

出个门见个人也都自认有观点，兴致勃勃地陈述观点，还找到词揣摩词，还唯恐词不够精准。

曾经的沸点，多数现在都懒得提及。就算某天新琢磨出五十个字的体会，稍微纵深一想，先是发现被自己写过，又发现也被别人写过。没什么新鲜的，结果连五十字都没有落笔。

事实也许就是，二十多岁，好像太阳每天都是新的，Tomorrow is another day；三十多岁，天赋和努力大概比例几成定局，有量变是应该的，量变不到一定程度激荡不起来，若干量变积累到下一个质变还得等些日子，如果不刻意想办法，Tomorrow is a same day。

一开始觉得就怕这个；后来觉得之前看到各种矫情文字说的“做减法”，大概就是指这个。就像东西越买越慢，但越买越好，值得留下记取的东西就该是精炼的。岁月和认知是张过滤网，兼收并蓄，谁都可以经过再流走，但孔越来越粗，只为留住大家伙。

大家伙是那些有用但还读不懂的体系，没见过的量级，达不到的格局，经久不动的心。

然而，我依然会做一种噩梦，梦里海上有一座冰山，海面下只有小小的一点，不似海面上巨大洁白。梦中我知道，那就是我。

Ⅰ. 好，我等着

「你可能委屈，你也可能不服，

但是你被淘汰了！」

我不知道星座这东西是否科学可信，反正我是天蝎座的，我的座右铭是“时间看得见”，翻译成白话就是“你等着”。在那些命运的低谷，沉静寡言深刻冷静的我大概心中暗暗默念过好几次“你等着”，幻想着有一天能把仇报了。

也只能是默念，除了整装收拾等待下一次，我几乎什么也做不了。夜幕降临，我会望着天花板幻想一会儿，幻想改变现状，改变结局，有一天能实力超群闪闪发光地出现，关上的门会因此为我打开。有一次想了很久，还是无法入睡，我打开电视，刚好是一个选秀节目的主持人在说话，他左手拿着麦克风，用右手食指指着镜头面无表情地说：“你可能委屈，你也可能不服，但是你被淘汰了！”我“啪”地一下子关上了电视。

真奇怪，即使在回忆里，苦楚也永远比快乐来得更鲜活，我甚至还能想起当时天花板上慢慢移动的光影，想起午夜里对面楼上一盏一盏灭掉的窗灯。我曾躺在床上想，是否真正的生活就像大学时候老师讲的希腊戏剧一样，得不到，得到又失去，永远充满痛苦和复仇，只有命运的绝望永恒。但年轻有一点好，当第二天早上太阳又照在我脸上，接了个电话就燃起另一个希望，又整装出发，把之前的愁怨迅速忘了。

当然了，很有可能又马上落空一次。

考试、面试、试镜、投标，类似的兴奋出发、忐忑等待、最终落空的过程，加起来超过三十次了吧，但都不如送第一本书稿的过程折磨。

2009年，好友塔塔说，你能写《写在三十岁到来这一天》，就应该能把里面经历的故事写成书。我从来没有写过书，甚至在之前并没有写作的习惯，但我对未来想象狂野，也觉得新奇，还是写了一些，然后拿了提纲和样张去寻找对这书感兴趣的出版社。

在三十岁的时候，我开始颤颤巍巍地捧着自己心里完全没底的作业，一次一次地站在出版社编辑的办公室里，接受评价。

心里完全没底是件非常恐怖的事情，因为在意念里我感到面前是一条广阔的大河，关于一本书怎么组织，怎么开端，怎么起承转合，怎么“齐清定”……关于整个写作和出版流程，我其实都一无所知。面对询问和质疑，我表现得就像一个白痴。

A 出版社的人翻了翻我的书稿，放回桌上说："要知道，现在有出版梦的人很多，那是太多了。是个人，就觉得自己能写书了。"

B 出版社说："你这算是什么体裁啊？小说不是小说，随笔不是随笔的。你懂文章的体裁吗？先把文学体裁弄清楚了再写作吧。"

也有给我了一点希望的，比如 C 出版社："语言还是挺生动的，也有生活。这样，你写个长篇小说吧，三十万字左右的，我们看看。"

D 出版社接待我的是个老爷爷，语重心长地告诉我："写书就是为人类社会创造新的文本啊，就是为这一代人著书立传啊，你就要对读者负有极大的责任啊。你人物塑造太粗糙，遣词造句太草率了。写，就要呕心沥血字斟句酌写成经典，要有决心载入史册！"

E 出版社接待我的是个年轻姑娘，提了建议："风格过于现实主义，重新设定人物和环境吧，比如咖啡馆和小野丽莎的音乐……"

给我打击最大的是 F 出版社，他们说："我们只出两种书，第一种是国外畅销书的中文版，第二种是名人书，您是名人吗？"

还有几家出版社的编辑都是友善地送我到门口，告诉我他们会再看看书稿，让我等消息。三十岁的我，和二十岁还是有很大不同的，好歹积累了一些面试失败和投标失利的经验，等消息基本就是没消息，我微笑点头告辞，心想我这是在干吗呢？我的那些故事和感受和平凡人生的小教训真的值得写吗？写出来真的有人看吗？

我还见了一个有名的大书商，在他的办公室等了两个小时。他出现后一边摆弄电脑一边有一句无一句地和我说话，然后让我把书稿放在桌上。我走的时候，他的目光也没离开电脑，连“再见”也没有说。

我道谢后转过身离开的时候，心里不好受。但我知道，是我自己没有写作成绩，别人也无从肯定。大家都挺忙的，时间都是用来交给最有价值的人和事。我还知道，“人的一切痛苦，本质上是对自己无能的愤怒”。

在严重自我怀疑的巅峰中，我又去了一家出版机构。说是机构，我到了以后发现坐落在一栋老旧的居民楼里，屋里三个男人都出来了，和我一起坐在客厅里破了皮的组合沙发上谈话。越过他们的肩膀，我惊讶地看见在他们身后的阳台上，挂着一个衣架，在衣架上，晾晒着一枚火红色的男士大内裤！

这不是一个出版图书的工作场所吗，我心想，对火红男士内裤的存在表示难以置信，同时觉得就这个出版机构的气质与我文字内容的匹配程度而言，他们估计无法明白我写的是啥，我今天肯定又是白来了。

“我们决定出版你这本书。”2009 年秋天，坐在我对面的光头中年男说。我在一分钟里发生了第二次难以置信。

三个月后，我和叶先生在鼓浪屿散步散到一半，出版社编辑发来短信说我的书在当当上架了。我连忙拉叶先生急急回到酒店，打开电脑搜索书名。

封面显示出来的瞬间，我感到一种不可思议——我出版了一本书这件事原来真正发生了。

于是我欣喜地、美滋滋地一遍又一遍刷新图书的页面，离远看一下，又离近看一下，假装不经意点进去看一下，又仔仔细细再把目录看一下——虽然那个封面被火红内裤出版机构弄得有点儿难看。但是，在那个历史时期，我是顾不得也管不了封面有多难看的。

再后来，一切都变了，各出版社和书商都纷纷来约见、夸我，送我他们的书，发来精美的出版方案，开具出版条件。彼时和此时就像换了一个世界，以前那些话再也没有人对我说了。这就是世态炎凉，如果你想得到，它逼你不得不先自己去印证自己。尤其是，如果你想从本来不相干的人那里得到重视和尊重，只有先默默隐忍，然后用成绩说话。你可以委屈，也可以不服，但世界一直都是这样的。

再后来，当我坐在办公室里面试，看着简历和对面的年轻同学，就猜测这中间的办公桌在他们的意念中，应该是一条河。当我把同学送到门口微笑说等我们消息，都会有点难过，但是世界就是这样的啊。

一个男生甚至在得知没有被录用后在微博发私信给我，只写了三个字："你等着。"

我看了那三个字很久，觉得非常熟悉，就像是遥远空间里的我自己，午夜失眠躺在床上看着天花板上的光影时给此刻的我发来的。我在想：是的我等着，我一直都在等着呢。我想起那时候的我，幻想有一天能把仇报了。但好像我的仇都没有去报，再仔细想想，好像仇都已经报了。

我们究竟能找谁报仇呢？当年否定你的人吗，伤害你的人吗，背离你的人吗？他们当初为什么有机会和能力否定和伤害和背离你？他们现在在哪里，是否还有那样机会和能力？你是否还介意？

如果站在俯瞰一生图景的高度去看待对方，我们一定可以做到微笑、礼貌、谦卑，因为你知道你要去往哪里，而他并不知道。如果你能继续前行，前行到他看不见的地方，你不会在乎还是否有仇要报。常见鸡汤号召我们要感谢苦楚与冷漠的陌生人，我不同意。苦楚就是苦楚，冷漠就是冷漠，苦楚与冷漠的陌生人是用来记取、克服和超越的，不上升，你就会和同样的苦楚与冷漠处于同一纬度，而它们会在那里永远刺痛着你。

现在，我的座右铭没有变过，还是“时间看得见”，但是我把“时间看得见”的正确白话翻译改了，不是“你等着”，应该是“好，我等着”。

没人会等着你，真正等着的只有我们自己。我不知道星座这东西是否科学可信，反正我是天蝎座的。

Ⅱ.不分男女，只分强弱

「活法没有优劣之分，只有风险大小之分，

甲之熊掌，乙之砒霜，重点是适合当事人。」

采访常遇两个经典问题，第一个是："您对女性创业怎么看？"第二个是："作为女性创业者您如何平衡工作与生活？"

对于第一个问题，我坚信一句话：创业者不分男女，只分强弱。

创业者不分男女，是因为无法分男女，分男女不产生价值。创业就像一只羚羊出生在非洲大草原，无论公母，想要活，你就必须跑得快，跑得比你的天敌狮子快。你说你就是一只美丽飞快的母羚羊也行，但得问问狮子追捕你的时候，是否会因为你的公母改变判断而转念不杀？丛林规则在此，快就活，慢就死，公母没用。同理，产品、市场、服务等等的残酷竞争中，生死存亡如果不分男女，那咱就别分。

我有个女朋友，她曾经创业。创业过程都曾遭遇艰难时刻和低点，她也一样。通过她讲述的一次体验，我更加觉得，在艰难时刻和低点对自己的觉知，会帮助判定你到底是一个创业者，还是一个“女性创业者”。

刚创业不久，她在深夜进货入库，缺乏人手，她就自己搬箱子。天冷，箱子又重，她的手僵得抓不住，把货品摔翻在地上。她说她当时一屁股坐在箱子上哭了。哭了也还好，但是她说她当时脑子里闪现出的思路很要命。她想的是：我这么瘦小的女生，这么冷的夜里还要搬箱子，太辛苦了，都没有人来帮我，我好可怜……

我也觉得确实很要命，因为这是一个典型从性别思考惯性出发的想法，这想法可以来自校园冬天大扫除里的任何一位女同学，但绝不该来自于一位创业者。

如果是一个创业者，当深夜天冷箱子重时的思考方法应该大致是这样的：1.现在的气温加上箱子重量，如果我自己搬，是否超过了我的体力范围？2.如果是，我是现在找人帮忙，还是明早再搬？ 3.如果现在找人，找谁？如果明早再搬，会延迟进度吗？ 4.我应该如何安排人员分工，才不会让这种情况再次发生？ 5.未来我是不是有足够成本来招募人员？

即使是创业者的自我安慰，涌现的思路也应该是：“我这是战略性的搬箱子，今天搬的不是箱子，是我闪闪发光的未来！”“未来牛逼的我自己，一定会感谢今天辛苦搬箱子的我自己！”等等等等。对创业者来说，鸡血励志语录也比自怨自艾好上两万多倍。脑子清楚、行动、坚持这些创业不二天条都和自怨自艾没什么关系。从创业之日起，在这条道路上，就得死了被呵护、被拯救的这条心。

后来那女生进行了深切的自我分析，觉得公主病中毒已深，不被疼爱的人生不值得活，适时终止了创业。本来嘛，这两年风口大盛，创业被过誉了。创业只是诸多活法之一，本身不值得夸耀，创业成功创造价值确实值得夸耀，但是不创业也可以实现成功和创造价值，也值得夸耀。活法没有优劣之分，只有风险大小之分，甲之熊掌，乙之砒霜，重点是适合当事人。

既然选择做创业者，只身闯荡江湖，首当其冲是了解自己的天赋所在和能力边界。性别首先算天赋的一种。而在能力边界中，包括体力边界和情绪边界，如果是女性，体力和情绪边界更低的几率大些。既然大，就得想办法预先管理好。这和管理其他技能的长短板并无显著区别。这年头，人与人个体之间的差别之大，早就超过了男性和女性之间的差别。而创业，是作为一个人对自己活法的选择，不是作为一个男人或女人对自己活法的选择。

如果你创业，如果你刚好是个女性，我建议少参加“美女创业营”、“创业女神分享会”等名字可疑的活动和团体， 如果你真的想在广阔的跑道上取得胜利，首先应该拒绝以性别被分类。你应该去寻找和接受活法的分类、兴趣的分类和灵魂的分类。

如果你是一名女性，你有自由选择任何一种人生道路。如果你在任何渠道和角度听到反对你人生道路的声音，你当然应该认真思考。但是，如果反对的声音仅仅是因为你的性别，如果你因此泛起了持续的自我怀疑，我建议你在枕边放上一本西蒙·波伏娃的《第二性》，每天翻看，坚持看完。你需要真正站在自己的性别上，完整了解从原始社会到现代社会的历史演变中，这一性别的处境、地位和权利的发展史。你会发现正在经历的一切感受和处境，在几百年间已被亿万人经历过；你会重新矫正你的参照物，你的参照物应该是整个世界，而不应该是你的亲朋好友，更不应该仅仅是周围十公里以内的男性；你会发觉，无论是什么性别，你是作为一个人而获得最终的自尊。

写完上面这段话，对比我经历过的许多感受和处境，我几乎要热泪盈眶了。一切并不容易，多年以来，我所在世界的太多人，都不是这样认为的。就像我认为创业不分男女，但很多人是分的，始终分，持续分，分得鲜明而富于功能。

大学毕业后，我偶尔会被邀请去饭局。去得多了以后，我开始介意一件事，那就是，对于饭局上其他人来说，我是一个面目模糊的女性，还是一个有趣有料值得共进晚餐的人？因为我发现，我在许多饭局上都只有一个名字——“美女”。

每次宾客落座后，高谈阔论，频频举杯，我都积极倾听并识记大家的闪光点。然而到我这里，均以“美女幸会”、“美女喝一杯”、“请问美女是做什么的”完成交流，我是同一个桌上吃饭的人，却常常没有名字。

现在看，这事儿其实合乎情理。若干年后，当我做公关公司帮客户办

Party 的时候，我会和客户共同开列一个邀请名单。

“总公司管理层、合作机构、VIP 客户都要邀请。”客户说。

“潜在客户和供货商代表也要邀请。”客户说。

“再帮我们请一些城中潮人吧，要长得好看的。现场漂亮。”客户说。

就是这样了。Party 和饭局主人都聪明又缜密，每一支晶莹剔透的高脚杯都有成本，年份红酒又那么贵，怎么会白白浪费？我和后来 Party 上的城中潮人没有什么区别，肩负着我的功能出席，年轻的点缀，当然不需要名字。

但当时的我不这么想，我在饭桌上被耻辱感灼烧着。“美女”是一个女性第二和第三人称代词。那么，我是一个女性代词吗？我可以不是一个女性代词吗？ 怀着这样的愿望，我后来的人生目标之一，就是早日摆脱代词。

后来参加活动吃饭时，席间有一大哥，聊天一个小时了一直称呼我美女，我说大哥我叫王潇。大哥说有啥分别，我说有啊从十五年前我就在努力，为的是让自己不再是饭局上的一个妞。大哥说哈哈是吗，你这个妞挺有意思的。我当时笑了。人在匮乏时是如此渴望自己不拥有的东西，在拥有它并成为日常后，你会以为已经放下了它。

当我以为往昔饭局已经是往昔，我终于拥有了名字的时候，生活又给了我一次很无情的挫败。

2012 年，我参加了一次电视台访谈节目的录制。节目播出后，有个人通过新浪微博的私信和我说了一串话：

“你还记得我吗？”

“非典之前那年，十年前，咱们在一个桌上吃过饭。”

“我对你印象很深，当时就觉得你必成大器！我在一个访谈节目里看见你了，你现在真棒！”

“我现在有两家上市公司，基本半退休。但是如果你需要帮助，我觉得我可以帮到你！”

“我觉得，你的事业现状还应该有更多的想象力，我有一些建议可以给你，有空的时候，你可以听听看。”

如果说前面几句是常见寒暄我没太留心，后面两句，完全就第一时间打动了我好吗！成功人士要主动给我建议帮助我哎！而且人家十年前就看出我必成大器哎！我读了几遍这串字，甚至感觉是知遇之恩，穿过岁月来帮我了。

那么这人是谁呢？我和对方用私信又来往聊了几句，并使劲去回忆十年之前在“非典”之前的某个饭局，渐渐浮现出一个形象。这个人怎么说呢，在我的记忆里，是个爷爷。

大概就是，在当年我二十出头的时候，饭桌上见到的这位成功人士，看上去至少是五十岁了。那时候还不流行大叔，对二十岁的女生来说，五十岁隔着遥远的年代，真就是爷爷级别。那么十年后，这位爷爷，应该是六十岁了，德高望重且慈祥的退休企业家，要为我指点迷津了呢。几天后，我就和爷爷见了面，爷爷自然是更老了十年。但这不重要，重要的是爷爷夸了我十分钟，并为我的事业描绘了未来。我这种野心家，一说未来，马上就沸腾了。

爷爷说，他的两个公司都在香港上市，在赴港上市过程中，发现了公关路演服务业的一块市场空白。香港的公关公司多为本地公司，从业人员多为国际人士和香港本土人士，双语办公，高效专业，这当然很好。但是，在与大量赴港上市内地传统企业的沟通上，产生了巨大的问题。无论是在语言、工作方式、思考方法和报价体系上，一路工作下来，双方都付出了极大的磨合成本。香港公司觉得甲方太土不规范，内地企业觉得乙方太拽不窝心，习惯和文化差异在工作中被放大，路演之后两败俱伤，双方都累得够呛。爷爷说他如今在香港也做借壳和买壳，这种需求更多了。

“但是我可以和你在香港做一间专门服务上市公司路演的公关公司，你出团队和服务标准，我来输送客户。你如果觉得没把握，可以先见一见这些潜在客户，看看他们的特点和需求是什么。”爷爷说。

如果眼睛能够发光，那一刻我的眼睛可以把整个咖啡厅照成白昼！我觉得我的时代终于要来了，我的公关公司要腾飞了！

为了掩饰瞬间滋生的贪婪，我说：“上市路演我们团队并不熟悉啊，这需要重新开发服务内容和标准，这会很费脑子。”

爷爷喝了口茶，淡淡地说：“如果不在这件事上费脑子，就得在那件事上费脑子。懒得费脑子实现愿望的人，最后不得不费脑子面对现实。其实，过穷日子，才最费脑子。”

简直是一生受用的金句啊！爷爷不愧是上市公司老板爷爷，我崇拜钦佩感激涕零，认为遇到生命中的导师天使，马上就和爷爷约好了赴港考察日期，把新公司注册提上了日程。

一周后，我向叶先生描绘了一番未来，拎起箱子斗志昂扬地到了香港。

晚宴豪华无比，若干内地即将赴港上市的大佬推杯换盏，满面红光。爷爷详细周到地介绍了我的姓名及 Title，尤其是未来在港公司的业务内容，大佬们也纷纷表示合作可期，和我碰杯时不时表达出类似“小同志好好干”等寄语。我感到未来在闪闪发光。

晚宴之后，我回到房间打开电脑，正准备一鼓作气写下未来战略，爷爷打电话来，说接下来得找我聊聊具体合作方法、份额和详细规划了。我欣然同意，心想不愧是上市公司老板爷爷，瞧这高效的执行力。爷爷说了他的房间号，我说这就过去，然而心里稍微多想了一下。马上又听到电话背景里爷爷秘书的说话声音，觉得自己很不应该，怎么能多想呢，这可是德高望重的慈祥的并且六十岁的爷爷呀！

进了爷爷的总统套房，秘书好像已经走了，我在客厅转圈参观了一分钟，又坐在沙发上，听爷爷继续夸了我三分钟，再然后，爷爷就拉起了我的手。我生硬地抽出了手，大骇！不是啊，剧本不是这样的吧！然后不是应该谈合作方法和份额了吗？然后不是我带团队在香港轰轰烈烈地建立新公司吗？然后不是我要腾飞了吗？拉起手是怎么回事？！
冷场。

然后爷爷看着我，慢慢地说："我呢，是见过很多漂亮女人的。"
我没说话。
"这些年，漂亮女人太多了，我可以帮，也可以不帮。"
是的，我懂了，在今晚的饭局上，和十年前并没有区别，我再次成了一个没有名字的妞。我以为饭局上红光满面的大佬们是我未来的大鱼，其实我才是今天晚宴上的小鱼。然而我的贪婪让我丧失判断，飞到千里之外，来追这只饵。这都不是令我愤怒和悲伤的重点，重点是，十年以来，我做了那么那么多的努力，在他们的面前，我还是、只是一个妞。

"要我帮，你就留下；不要我帮，你就走吧。"
这是那个人对我说过的最后一句话，之后，我再也没有见过他。

那晚回到房间，我站在窗前看见灯火辉煌的香港夜景，感到孤单和苍凉。是的，小美梦刚燃起就破碎了。首先是因为不切实际的贪婪，贪婪才会被蒙蔽双眼；也是因为竟然还在幻想他人的给予，竟然潜意识里还在盼望去依赖盼望被拯救；最最核心的，是因为我依然没有成为一个名字。

那天在香港酒店的窗前，我在意念里把两个自己杀死：一个自己还相信有侥幸的机会主义，我跟她聊了一会儿以后，杀死了她；另一个还等待大手的赏识和扶持，我迅速杀死了她，我必须杀死她。

第三个自己，我想我必须为她燃起火把，帮她为自己找到真正有价值的名字。这条道路不知要走多久，但是为了克服像今晚这样的愤怒和悲伤，她得走下去，她没选择。

杀完以后，我给女友塔塔打个了电话，讲了这晚的事。

“当代刘胡兰啊，你觉得你出了房间坚贞地关上门，是关上了多少钱啊？哈哈哈哈。”塔塔问。

“我觉得按季度收入算可能关上了一千万吧！哈哈哈哈。”

“那你说要是没走真就能有一千万吗？哈哈哈哈。”

“不好说啊，也没签合同啊，哈哈哈那可就亏了！”

“对啊，那这类事到底怎么操作啊？到底是先付还是后付啊？”

“是啊，好想知道。但是刚才太突然反应太大也没机会问啊！”

“哎真是的，一直觉得是个谜！”

“可不么，真是个谜呢！”

有时候我真觉得，在很多愤怒和悲伤的时刻，像我和塔塔这样的表达，是唯一正确的表达方式。

我曾经这么想：在漫长的成长中，表与里就是一对悖论。我努力让自己健康好看，我认为这是作为人对自己的基本要求；与此同时，我希望自己有才华和能力，并拥有因为才华和能力而获得的尊严。

我还曾经这么想：当你还有几分容貌的时候，你会努力去证明你的内在更值得阅读；当你的内在真正值得阅读的时候，你却也许已不再拥有容貌。但你无法要求他人去割裂地看待它们，因为它们都是你，无法分割。不过现在，我更加见多识广和存在主义了一些，觉得就生存而言，人一定要想清三个问题：第一你有什么，第二你要什么，第三你能兑换什么。不必纠结表与里，都是看愿拿什么出来打关并且打得赢打得愉快。生存面前大家都是战士，只是装备不同，颜和才华同属可选装备，都需天赋，都靠努力。在哪个战场用什么打能否打赢都是悬念，选定后就该多练级少抱怨。拼才华的和拼颜值的狭路相逢应该是最深的懂，微微一笑，互道珍重。

要说四十岁也快到了，随着我开始变得老成持重，这种情况还是有改观的。前一阵，我一多年哥们儿约吃饭，说局上有 xx 大哥、xx 大哥和 xx 大哥，我说你这要是给饭局找妞儿我就不去了啊，还不如在家养养生。哥们儿说：大姐，找妞都找 90 后好吗？您真以为您还是菜哪？我现在大概可以非常坚定地认为：我终于是企业家了！

如果就性别本身来说，有一句终极箴言，那就是：在任何时候，都不要走入任何情况不明的房间。

Ⅲ. 走出这步

「我要的是特别大的虚荣，只有自由和尊严、真金白银，还有好作品才能支撑的那种。」

2014年6月10日，是我出任《时尚COSMO》主编第一天。到2015年的8月10日，我宣布卸任《时尚COSMO》主编，刚好是整十四个月。在这期间，我做了十四期的杂志，写完二十八篇卷首语。现在回头看，每篇卷首语的气质都差异明显，看得出作者一直在找状态。

《穿PRADA的女魔头》在全球成为畅销小说和电影之后，时尚杂志主编的生活也开始传奇了。其他职业经过剪辑才是电影，但时尚杂志主编本人就应该活在电影里。人物漂亮、衣服昂贵，什么登峰造极就奔向什么，世俗赞美过的一切，都可以被再次精加工，直接成为时尚杂志的封面或内页。

就像卷首语里写的，我最早是读者，是站在大街上趴在橱窗上往里看的人。趴着看，并且流连忘返，是因为觉得东西好看想买回家。但做主编这十四个月，视角发生完全变化，我需要经营橱窗，推陈出新，招揽顾客。任何行业和生活都是这样，城里与城外截然不同。

我到来时，时尚杂志业刚刚经过了最好的二十年，堪称从业人员的黄金时代。就是在这期间，时尚编辑开始成为令人神往的职业：吃穿用度超越凡俗，结交明星权贵，夜晚笙歌，工作日旅行，每日生活好像就是杂志本身。

可惜这世界变化快，一两年间，杂志与各种传统媒体一起，遭到了新媒体的重大冲击。无论是传播方式、用户还是收入，原有的好渠道和好模式突然都过时了。随着一刊又一刊的倒掉，一切变得生死攸关。我被授命到主战场打起将旗，初衷如同关键时刻的排兵布阵，是希望以野生新奇打法力挽狂澜。

十四个月间，《时尚 COSMO》的收入呈现过微小上升，然而这是风口也是潮水，大势来时，螳臂当车，已经没谁可以力挽狂澜。我不认为变化会在选题会、编辑广告沟通会、发行会、时装周、拍封面中发生，也不认为把诸多日常工作调升一个维度就可以导出不同的结果。这等同于大工业革命时代对旧生产方式的冲击，这冲击不可逆，镰刀磨得再快，劳动人民起得再早，也无力挑战收割机了。

剔除时尚杂志及其主编工作的神秘感及情怀，仅从我个人体验和观察出发，总结一下十四个月短暂主编生涯中的认知：

▶ 杂志的本质

主编操盘的杂志，其本质是机构的核心产品。主编既是产品经理也是CEO，主编的职责是把握产品调性，设计和生产产品，同时做好相关推广发行和市场，然后，盈利。杂志等于内容平台型产品，卖给广大的C以获取发行量，但需要从广告商B处盈利。

杂志也是媒体，现今媒体的社会责任和媒体的公司化是悖论，杂志亦然。是的，再强调一遍，盈利永远是机构生产产品的第一要务，也是市场经济下公司存在的意义。

▶ 从业人员

对生活方式、光环附加值和物欲的追求和靠近，是最常见的从业动机。时尚杂志是生活真相的一部分，只不过是极少数人的生活真相，代表着人类的文明程度，通常在金字塔尖供人仰望，而从业人员获得了近距离观摩的机会。

从业者需要保持清醒，觉知观摩是暂时的。在享用光环附加值的同时，要留出心力用在自我身上，要意识到品牌和平台不是自己，不值得恃宠而骄，它们终究会褪去。

▶ 好故事不死

好故事以及好故事里的人物，才令人印象深刻，因为触动了灵魂。无论好故事是用什么载体传播，是互联网还是纸本并不重要，只要故事够好，它就不会死。时尚杂志的图都是美的，但罕有美出灵魂和故事。这很好理解，两个美人站在那里，我们通常会爱那个有灵魂和故事的美人更久一点儿。

▸ Magic Pill

好杂志需要有它的气质。当我们走过路边的书报亭，让我们愿意停下脚步，拿起一本刚印刷出的杂志的，往往是它带给我们的质感记忆。就像是你二十五岁，很多愿望，满怀心事，当你走过公园，草地上坐着一个闺蜜、一个文青、一个名媛，而你只想上去跟最率真最爽朗的姑娘说说你的未来，因为她懂。好杂志是 Magic Pill，关键时刻服一粒，它会帮助你，就是这个意思。

▸ 奢侈品属性

就传播成本而言，杂志在正面战场拼杀的成本实在太高昂了。如今发微博或是写公众号，通常只要一个人加一部手机或电脑即可；但杂志的一页在呈现之前，需要两个编辑及支持场地、一个摄影师及助理、一个化妆师及助理、一个服装师及品牌、一个撰稿人、一个艺人及其经纪团队、一个美工或后期、一个印刷机长，再加几轮物流快递，才到达你的手里。杂志本身的人类劳动高度凝结和复杂成本特征，注定产品的构成就是奢侈的。时尚杂志和奢侈品广告理论上本应天然契合，因此奢侈品广告的大量叛逃，真的令人无奈又悲伤。“等等，我也是积淀深厚的贵族来着，你为什么要去找新贵暴发户呢？”

▸ 剩者为王 爱者恒爱

时尚杂志不会消失，只会变得小而美。当满世界都是汽车的时候，马车并没有消失，只是剩下有限的马车而已。最后大浪淘沙，总会有硕果仅存的杂志分割江湖，依然在为需要的人讲着好故事。

十四个月中，我遇到了令人敬仰的前辈，真正深爱这行业的人。他们早已修炼了一万小时，在此中忘却光环附加值和物欲。他们是纯粹的人，他们做的杂志才会是纯粹的杂志。

十四个月后，野马归山，我一直都是野生的。打工与创业，从来没有孰优孰劣，只看当事人个体天赋和需求适合哪部分。我必须承认，同许多人对时尚杂志界的评价一样，我是虚荣的。但我真正想要的是特别大的虚荣，只有自由和尊严、真金白银，还有好作品才能支撑的那种。

走出这步

《时尚 COSMO》2014 年 9 月号卷首语

2014 年 4 月末的一个下午，我收到了一封来自高级猎头顾问公司的邮件。然后在电话里，我发现对方对我的履历了如指掌。在聊了一会儿传媒业的变化之后，他说他们在寻找一个人，这个人可能是我。

5 月初的一个下午，猎头邀请我来到时尚大厦 21 层苏芒的办公室。时尚集团总裁办公室的墙壁地面和家具都是白色的，衬托得所有陈设物品的颜色都更鲜艳。尤其是蓝色花卉的窗帘，为了遮挡那天耀眼的阳光拉起来，像一幅白墙上的方形油画，令人印象深刻。

我在窗下的白色沙发上坐好，苏芒穿着蓝色小包身裙从白色办公桌后走出来，拿着冰咖啡，拉了把白色椅子坐在我的对面。我看着她的细手臂和蓝色小裙子心想——XS 号。

我喜欢苏芒，我一直都喜欢精力充沛、保持身材、野心勃勃、目光炯炯的人。她和时尚集团一起，经历了中国非同寻常、极富戏剧性的二十年，那里面一定有无法尽述的故事和体验。我迅速想象了一下二十年专注在一个行业的坚持，肃然起敬。但是，我不认为他们找的人是我，创业和在体系中工作，是两种生活方式，我想我早已为自己的生活方式做出了选择。

那个下午阳光一直很好，又有风，风时不时地鼓起窗帘，吹到我的背上，轻柔又暖和。苏芒说话的时候，我就注视着她的眼睛，黑白分明，说到高兴处，睫毛快速扇动，细手臂也挥舞起来，神情像个年轻女孩在聊未来。我轻松就认出了这种神情，因为每一次和创业的朋友们大胆地畅想明天时，他们的眼里都闪烁着这样的光，那神情，就好像看到未来在闪闪发亮！

聊到她与我成长中的迷茫和坚信，又聊到我与“趁早”，她说：“你觉得‘趁早’和《时尚COSMO》是两件事吗？不！对所有年轻女孩来说，‘趁早’和《时尚COSMO》在做的一直是同一件事！”她又举起细手臂，手指比画出一个“1”字，突然就绽放出笑容，手臂也不放下，在空中高举着那个“1”，定格住。

我愣了几秒，刚要说话，身后的窗帘被风呼地吹开了。我起身回头抚弄窗帘，不知道苏芒是否还保持着高举着“1”的姿势。当我背对着总裁办公室里白色的一切，金色阳光照满脸上的那刻，我已经知道，我刚刚经历了一个决定性的瞬间，被这个“1”深深打动。她说得对，让这一代年轻女性觉察到自由意志并找到方法践行，有自己的发声领地和阵营，这是同一件事。在这件事的巨大使命面前，纠结于两种生活方式的异同，也许是狭隘的。我转过身来，苏芒盯住我的眼睛说："我现在要给你一本二十一年来在中国年轻女性中影响力最大的杂志，我要你给它注入你的灵魂和意志！"

整个下午，加上冰咖啡的效力，我的血液在血管里快速地涌动。

我常常被叫作鸡血本人，而那个下午，我想我也许遇到了另一个鸡血本人，我们使用同一种语言。在我们鸡血界，关键的时刻，可能只需要一句话，比如她说："Lean In，王潇，向前一步，Lean In！"

在2014年的整个5月，鸡血界的谈话一共进行了超过十个小时。再后来，还涌现了其他鸡血界经典对白。聊到精力分配，苏芒说："难道王潇的能力就只能够带领'趁早'一支团队吗？""雷军做了十一个公司，你觉得你只能做一个吗？"聊到专注和做减法，苏芒说："先遇到能力的边界，先积累，才有资格做减法啊！""上来就做减法吗？那是为无能者说的。"每一句铿锵的对白，都像是我曾经写在书里或对别人说过的话。我一次一次地笑了。

我又向前走了一步。在最终做出决定之前，我如常地对精力分配、成本、行业和资源进行了分析，做足理性功课。但是，5月那天下午的窗帘与风，对话中的精神家园的指认，一定构成了这个决定中不可知的部分。

一步又一步，就像苏芒如何走过她在时尚王国的二十年，就像我如何在三十五岁继续做出选择，“趁早”和《时尚 COSMO》所要做的，之前和以后都是同样一件事——让我们具备勇气、魅力、理性与方法走出这步，再走出下一步，直至走进闪闪发亮的明天！

如何拥有一万种可能性

《时尚 COSMO》2014 年 9 月号卷首语

二十岁左右，我开始看《时尚 COSMO》。那时候，我去过的国家屈指可数，购买能力也有限，周围的朋友看我捧着杂志，偶尔会凑过来翻翻，然后有人会说：“看这个没什么用吧？这离你生活也太远了！”

我都是轻轻捧走杂志并不争辩。他们不懂，我从来不认为正在看的是一本杂志，我正在看的，明明是未来人生的可能性。我知道，在他们眼里，这可能是一叠虚荣的铜版纸，页页描绘着别人的生活——别人的生活总是游刃有余，衣着光鲜，万水千山走遍，但就是与你无关。

但是，这铜版纸上的一切当然与我有关啊！我不看就不会知道，有那么多地方可以去，有那么多衣服可以穿，有那么多颜色可以涂抹；尤其，我还会遇到很多有意思的人，我甚至会爱上其中一个，他说不定也会爱上我呢。每次合上杂志，我都深深呼吸，为即将到来的无数可能性兴奋不已——多棒啊，我可能成为这本杂志里提到过的任何一个人，可能拥有里面提到过的任何一种生活！

在我的想象里，有一大群女生，和二十岁的我一起，曾经站在深蓝色的天幕下，在晨曦中兴奋地准备出发。而这群女生和我一样最幸运的地方，就是在出发时就通过《时尚COSMO》知道了，所谓未来，并不是只有一个单一的方向。安宁或者冒险，清淡或者富足，都有人活过，都值得活，真正的未来可以通往四面八方，未来是可以选的！

当我们站在出发点时，最该做的事，就是想尽办法去发现自己内心真正的愿望，然后鼓足勇气，按照自己的愿望过一生。

在后来的许多年里，我就是这样长大的，不断地通过画面给予的想象力去完善梦想生活的蓝图。有趣的是，在实现一幅幅蓝图的过程中，我成为过这本杂志里提到的某个人，也为这本杂志撰写过某种生活；再后来，时间流转到此时此刻，我竟然成了一个坐在整本杂志背后的人！还有比这更神奇的蓝图吗？当我再次捧起《时尚COSMO》，就像捧着年轻岁月所有的秘密。

这就是《时尚COSMO》一直以来都在告诉你的事——世界广大、绚烂，而年轻的你站在整个世界面前，一切都在等你尽情地甄选。

时代的偏爱

《时尚 COSMO》2014 年 11 月号卷首语

10 月号新杂志出炉，一个朋友给我发微信："专栏是冯仑，客座是雕爷，还采访了一堆女创业者。你这是偏爱。"
我迅速回了他："不是我，是时代。"

时代又变了。每个时代都有其特征鲜明的红人。这个时代的红人特征是集中出现在社交媒体，都有自己的生意，都有语言或外表的识别度，都敢于和善于表达并且把核心观点病毒式传播，并且互相之间经常认识，并且不定期有个人去纽交所敲了钟。不得不承认，这是个创业英雄与神话的时代，英雄一呼百应，而神话在被描绘之后竟然会被兑现。我们就这样张大嘴巴围观着一场场表演"求而得之"的真人秀，围观我们内心的梦想和欲望如何被他人逐级实现。一个个现象后面，必有这个时代的本质；所谓"时尚"，即是一个时代的潮流。

"会不会离女生太远？"朋友又发来微信。

我停了几秒回了他："我最懊悔的事之一，就是年轻时候，以为这些都离我太远。"

怎么会远呢？他们的新闻就在你手机的头条里，他们的言论被转发三万次后看起来有点儿像真理，你吃着住着用着他们的产品或副产品，因而你竟然像十五年前的我一样，还以为那都是别人的工作和使命。当他们打开一个数据界面，向团队指出一个地区的用户活跃数字，而你，没有面目也没有观点，只存在于一次计算里。

从我意识到这一点的那刻起，我决定去改变一个态度：拒绝只站在信息流和产品线的末端，我除了点赞还要发声，除了体验还要参与改进。我虽然渺小，但是我的思维和行动可以进入人类的意识和变化大循环。我和地球上这种叫作人的生物是一拨的，虽然他们在队伍前头我比较靠后，但我得知道前头那些家伙在干什么。

尤其，这一切跟我是不是女生没有关系，无论男女，失去可能性的第一个原因，就是觉得梦想是别人的事，说服自己跌进眼下的现实里。

“创业，毕竟是少数人；投资人，就更远了。”朋友继续通过微信表达观点。

不，我从来不这么想。创业是发现自己的专长与兴趣，增大自己的差异优势，寻找市场与机会，把产品出售给目标人群，且循环矫正和放大这一过程的过程。而在这一过程里，产品可以是时间、智力、劳力，可以兼具有形和无形；而目标人群可以是老板也可以是用户。无论身在何处，只要在这世上生存，好智慧与好技巧都可以举一反三，触类旁通。创业只是风险更大的生存而已。

投资就可以更广义，选择创业方向是投资，选择职业也是投资，甚至读每本书、见每个人都是投资。如同投资人看所谓好项目——人要靠谱，环境要靠谱，项目要靠谱。如果投资给自己，也能随时观察三方靠谱与否，所产出结果一定不会太糟。投资的问题，就是你把生命及一切资源如何分配的问题。

想到这里，我回了朋友微信："所有人，既是在创业，也是在投资。"

扔下手机，我突然好想说：此刻能意识到这些，已经足够棒了！因为我们此刻正拥有着指向未来最大的财富——时间！

无论在创业与投资里，时间都是最大的神器。

Part 4 | 看，真爱

“生活越难，我就越想你；见的人越多，我就越想你。”

赏花时心无挂碍。赚钱是为了更好地赏花，如果站在这棵花树下谈论输赢，就可惜了花。然而，到处都是谈输赢的人，可以一起赏花的人，总是很少。

父母兄妹师长和密友，一个人的核心人际累积在十人左右。我们的存在、喜怒哀乐与生活质量大概只有这十人真正挂怀。因我们的存在而让他们增添喜乐，乃存在的真谛之一。这个世界会给我们很多复杂的感受，而只有这十人负责提供作为人类最伟大又细腻的感受——真爱。

I. 她是我的决定

「 She is a product of my choices. 」

1. 她的到来

被动闭关了俩月，谢天谢地，我终于复苏了。

三年前的这个季节，我收到塔塔的短信，她说她怀孕了。据说那个晚上塔塔自己也很吃惊，因为这事完全在她意料之外。还据说塔塔纠结了整整几个小时，后来和孩子他爹两人在马路牙子上默默无言看了一会儿来来往往的车辆，等待着为彼此做出一个重要的决定。在那个人生转折的时刻，孩子他爹说："我当着你面再抽最后一根烟吧！"

最后一根烟抽完，孩子他爹也就是后来的白纸先生把烟屁扔到脚下狠狠踩灭，搂过塔塔，走入了北京的万家灯火，也从此走进了一段全新的生活。

那一年，我写了一本书，塔塔孕育了一个婴儿，我的书在慢慢完稿的同时，塔塔在渐渐肿大。当时我在博客里这样记载：“犹记塔塔孕三月时，依然挣扎着与我在新光天地闲逛，手持不透明塑料袋一个，三步一停，五步一吐……但见店外角落处塔塔的小背影一耸一耸，好不可怜。最后塔塔终于抹干净嘴转过身来，眼圈通红，眼角还泛着呕吐催生的小泪花。诸如此类的场景，贯穿塔塔的整个孕早期。”这是我记下来的，我没记下来的，还包括塔塔迅速臃肿的身体和诡异的肤色变化，那变化之猛烈之惨烈，像足电影里的特效坏魔法。我无情地对塔塔说：“你变丑了，还吐，还胖，还黑，还这疼那疼，我嫌弃你了。”塔塔说：“行，你等着。”

我鼻孔朝天撇着嘴琢磨，我这么皮实一人，不晕车不晕船不过敏不挑食不失眠每月小肚子都不带疼的，真等我有那么一天，肯定依然帅到不行啊，肯定又白又美，咔咔开车哧溜并线停车入位，唰唰写邮件讲提案签支票，肯定各种挥洒自若来去如风啊。

经过这俩月我想说，真的，不管你自以为多么了解自己，在经过任何一个事实试炼之前，低调点儿吧，真别吹牛 x。

此处先让时光回转到 2008 年，我第一次跟叶先生回到墨尔本，开车在大洋路上，我俩聊天儿中突发奇想，说如果我俩有一个孩子的话，女孩小名就叫问问，男孩小名就叫店店。

2012 年 4 月，问问来了。

4 月底某天，我在办公室感到一阵猛烈的肠胃涌动，赶紧回家躺倒，这一躺倒之后，我的苦日子启动了。之前电视剧表现妇女这一段好像不是这么演的，周围好像也没人跟我说过一切会是这样，我就像得了痊愈遥遥无期的严重肠胃炎，武功全废，还不能治。我好像就只是一个胃，我全部的感受好像就只剩下胃的感受，可以归结为等着吐、立马吐、刚吐完这三个状态，而世界基本是由床、我、呕吐盆组成的三点结构，第一个月的剧烈呕吐就让我从 92 斤瘦到 87 斤。塔塔来看我，对我说："真棒嘿，发型和身材都绝了，演白血病患者都不用带化妆的嘿！"我对塔塔说："塔塔，我难受死了，我想吐。"塔塔说："我嫌弃你。"

我对时间也没了概念，每天当窗外的天色暗下来，当我听见街上的汽车开始纷纷烦躁鸣笛，就知道这一天我就算又熬完了。而其中大概有十来天，每天傍晚最令我和叶先生惊奇的一件事就是——我！竟！然！哭！了！"怎么会是这样呢？这也太难受了！这什么时候是个头儿啊！难道其他妇女都这么忍的吗？"我想着想着就不知不觉咧嘴哭了。第一回哭，把我自己和叶先生都吓到了，叶先生站在床边，看着我乱糟糟的头发和哭歪的脸，呆呆地跟我说："你好像变了一个人哎，你一点儿都不像潇洒姐，一点儿都不潇洒……"我也很惊骇，因为我成年后还从未因遇到困难而哭过，我边哭边抽抽搭搭地说："怀孕好难……怀孕比创业难多了……为什么那么多的妇女都能忍受怀孕生孩子，却不肯创业呢？"后来我每天傍晚都习惯性地哭一会儿，叶先生也习惯了，给我起名儿"每日一哭"。

我这才知道我其实并不足够了解我自己，或者我根本就是屈从了肉身的荷尔蒙，杨绛在《我们仨》里说："在低等动物，新生命的长成就是母体的消灭。我没有消灭，只是打了一个七折，什么都减退了。”七折真不错了，这俩月，我顶多三折。

俩月里，我无力写作和工作，更别提出门嘚瑟了。但是躺在床上有一个好处，就是能够进行大段大段不被打扰的思考。我于是想了许多问题，其实都围绕着一个重大的问题：我为什么要生育？当然在此之前我就想过这问题，也问过许多已育妇女，但都答案模糊，不能为我所用。“一个人知道为什么而活，那么他就能忍受任何一种生活。”就像义士能忍受酷刑，笃信者能忍受暴戾，我想只有清晰地懂得我所做选择的缘起和去处，才能真正坦然和欣然承受我现在和将要面临的、生育将为我和我的生活带来的一切。

到这里，本孕妇已凭借闭关后的厚积薄发和忍着残存的恶心写了1900字。Anyway，问问来了，预产期在2012年12月21日，也就是我在效率手册上故弄玄虚重重Mark的世界末日那天。

问问已经来了，问问在路上。

2. 第九个月

问问快九个月，为了提防未来的遗忘，再写下点儿此阶段心得。

▸ 形状

日益有种意志终被时间和肉身打败的感觉啊，生物体随着时间的生长和衰败都非常不可抗。问问在生长，中年妇女在衰败哈哈，早晨我赞美的新生和晚间我喟叹的形变原来都是一回事。充分说明了苍茫大地我又能咋样，原来就是等着、看着，成为人类和时间推进的又一个小载体。本来想写小试验田，结果一想试验田都算不上呢，千秋万代这点儿事早都被体验得没有新意。小个体都把自己的世界看得比天大。怀孕让我觉得只是个小母兽，屈服而且谦卑了。

▸ 情绪

可能是因为荷尔蒙，情绪会出现间歇的非常清晰的烦躁。每次突兀地袭来，心里都会很惊讶地对自己说：哇，好强烈的烦躁啊！然后试图使用我擅长的逻辑来分析和疏导。先是挖掘原因——因为不便，因为不适，因为未来不可预见的改变。然后头脑搜索解决方案（If you are not happy, just change something）。这时会发现好像只能继续面对和忍受，一切本来都是自己选的。于是我就不说话不做事地等三十秒的情绪巅峰过去，然后对叶先生说："刚才我超级烦躁，有种突然要发疯一样的感觉呢！"叶先生会说："哦。"

▸ 工作

工作是治疗偶发性烦躁的利器。只要在专注中，肾上腺可以几小时甚至一天之久地抵御荷尔蒙，甚至忘却自己是在孕期，但最终疲倦感还是会浮现。总的说来是工作的乐趣和肉身的疲倦在对抗，工作总是先赢几局，最后依然由肉身把一切打败。然而中间有几天，当我试图像一名安宁祥和的孕妇那样“岁月静好”地休息整天的时候，遭遇了从未有过的持续烦躁、无所事事、虚空和不知所以，直到又专注于工作，一切负面感受骤然消失。所以究竟是人各有志，再次证明我真的无法享受去做一名以岁月静好为目标的女性或者太太。这是命运。

▶ 希望

无论朋友们如何提醒未来生活可能出现的混乱程度，我都对这变化充满期待和信心。这期待很像中学毕业面临考大学，我已做了足量的任务，自觉可以在游戏里升级了。前面那些年头，获得了充分体验，学到东西，现在已经毕业，翻篇儿，无须留恋。之前再好玩，往前走才是希望，才有新意思。过去，现在，未来，真实生活的问题从来没少过，但现在的不适不是生病，而是进阶，未来的混乱不是颠覆，而是家庭。

3. 我的假期

我猜这是一段人生中难得的假期。

真正的假期不是身体上的，而是心里的。就像上学时候寒暑假先玩耍后赶作业，潜意识里有任务在身，玩耍总不能彻底；即使作业抢先完成，一个月后还是不得不加入埋头苦读的队伍里去，总是没有真正停下的时候。

离开学校就更惨，年节更短，无论怎样的计划期待，哪怕去到地球另一边，依然太过迅速地回到这个现实世界。被生存逼着走的人，也许根本就无法拥有那样理想的假期。

那样的假期要放下，要具备出离心，只过最简单的生活，想到哪儿是哪儿，想说话再说话，想见人再见人，其余不沾染不思量。那样的假期启动以后，闭关和云游都好，一切任由主观决断，随时停止，也可以不停止，如果就此出离了，也无需再回去。

作为一个凡俗女性，没有比怀孕这一段更能享有这样的假期了。身体是深居简出，饮食是清规戒律。前面的召唤，后面的追赶，都有充分的理由全然不顾置之不理。假期中享有最完全的吃、睡、语言和活动，妙就妙在周遭和自己都不会对此不满——一个立体的人还原为一个生物范围里的身体，除了让这个身体保持良性运转外，没有人对这个身体敢有多余期待，也没有其他目标需要这个身体去抵达。

然后生育。一个身体变成两个，于是两个身体昏天黑地与世隔绝地吃睡。小身体是零，是空白，是吃了睡睡了吃的一团，大身体只需对应做本能判断。两者相对的时候，生活变得从未有过的简单，小身体号啕大哭时，世界无比寂静。

每一个物理的日夜被成段的睡眠拆分后，时空也仿佛重组了，醒了也似睡着，混沌之中曾经执着的统统顾不上，索性就一扇一扇自行关闭了。

我的理想假期就这样怀抱婴孩度过了几个月——但破我执，不听不闻不贪恋外物，不动脑子。也许那么多生育之后断然改做全职妈妈的女性，都是因为到过清凉之地不愿再归来吧。

许多个模糊的日夜之后，当婴孩已经能够用黑亮的眼睛长时间地凝视我，我猛一抬头照见镜子，又看见了自己和自己的肉身，记起了我的颠倒梦想。肉身不美，我执深重。

现在，假期是时候结束了。

4. 她是我的决定

北京秋天，在蓝色港湾一个餐厅里，单身的同龄女友 M 坐在我的对面探过身来，郑重地问了我一个问题：“我问过好多生了孩子的人，问他们有孩子到底好在哪儿，他们都回答说，等你生了你就知道了。我根本就不想要这样模棱两可的答案，我想要一个最贴近真实体验的描述，我想知道那些好到底是什么？你能告诉我吗？”

这又是一个像我一样企图时时处处明白，占领理性高点，妄想在每一个决策路口做常胜将军的女性。可惜我从未真正明白，也从未获得充分理性——我都是靠着犯错交学费复盘长记性谋生的。不过，我确信我一直特别明白的是，生孩子这件事，没办法犯错交学费复盘，一旦生了就是生了。生了 TA 就存在，成长，与你产生互动，靠你给养，参与你的余生。

我知道，坐在我对面的 M 问了一个特别好的问题，这个问题好到约等于是在问“爱”是什么，那所有感觉得到但说不出的让人荡气回肠撕心裂肺的都是什么。如果一切都能理性解构，也许就没有图画、音乐、小说和电影了，理性说不出人类真正迷恋的一切。

我必须努力解构一次我的主观感性体验，作为她解决实际问题的参考。于是那天我开始非常慢地、小声地、断续地表述了我当妈九个月来所有的感受。

和现在比起来，那些孕育时期与问问的联系和亲情其实都是臆想出来的。没有货真价实的沟通，孕妇远远算不上妈，只是一个胚胎 / 胎儿携带者。如果孕育时期说对她有认知，纯粹是从遗传基因角度的对她样子的猜测游戏——在见到面之前，也实在想象不到别的。如果对她有期望，期望都基于有限的社会经验和弥补自己缺失的联想，因为你一日没有见到她，就一日没办法真正从她的角度展开思考。

刚开始，以为她的出生就算是一切谜底揭开，后来才觉得，她真正到来那刻，只是掀起了谜底的第一个角落而已。因为她如此复杂、多样，还会发展变化，并且永远将朝着一个谁也无法预料的方向。

九个月来，我一直沉浸在持续的惊叹中——独自走在路上，我会突然想起，天啊我竟然生了个孩子。早晨醒来第一个瞬间，我的一个觉知也是：我有了一个孩子！即使我在看着她，抱着她，我也会时时惊讶，并且抬起头对旁边的人以一种不可思议的语气说：“你看这竟然是我生出来的！”

我先惊叹于她的外形，比如她手指脚趾的形状，瞳孔的颜色，头发的柔软程度，又惊叹于她作为个体的独立和反应，因为什么哭和笑，如何表达满足和不安。当然每一个人都会有自己的外形，都是独立的并且有反应，但在此之前，我觉得那些都是理所当然和这个世界的存在一起存在的，包括我自己。但是她和周围的一切事物都不同，她对我来说，从未是理所当然的。这种感觉很奇特。她一举一动一颦一笑，我都觉得和我有关，我得为此提供解释和负责。有时候我甚至感觉是自己制造并获得了一个人类样本，这个人类样本被完全托付给我，而她初始、幼小、毫无章法，我由此获得了观察和培育的权利。

我从未忘记，她的到来是我选的。她是我的决定。

至于对她的情感，应该是一点一点到来的。她出生的那刻，被医生抱到我面前那刻，我记得我的前三个意识。第一个是："哦，是你。"第二个是："鼻子怎么这么扁啊？"第三个是："我终于把生孩子这件事，给办！完！了！"后来想到，我没有人们通常所说的激动流泪，应该是那刻没有流泪的驱动。

直到她九个月的一天，夜里她醒了，在黑暗中打算抓着栏杆站起来，小胖手从床栏杆中伸出来紧紧握住，挪动身体发出窸窸窣窣的声音。她半途跌坐了几次，又重新开始。最后栏杆后面渐渐冒出了一撮头发，又摇摇晃晃地露出了脑门儿、眼睛，她站起来看见我，一下就笑了。我想到她以后一生都要像这样一次次地努力争取，一下就哭了。

就在她站起的一瞬间，我前半生的所有大小坎坷记忆不知为何都突然一下子涌入脑海，一下子明白那些失望迷惘受挫和无助，都要在她的身上重来一遍，她一定将会因此而悲伤和哭泣，而这一切，也是我选的。她将要遭遇的一切，都是在承担我的决定带来的后果，如果说我对她负有责任，那么这就是个最重大的责任，所以，她以后无论面临什么，即使成年之后，都有权利怨恨我。“She is a product of our choices.”有一天，叶先生看着她，这样对我说。

原来，生育就是母体为了自身体验的丰富性，选择把一个生命体抛到世间，给她有限的基因、养料、环境，然后看她跌撞前行，把所有的再经历一遍。她为这一路悲喜，母体再随她叠加上一路的悲喜。就是这样了。这就是在生育之前我不可能得到的体验和情感吧。

Ⅱ. 安家纪事

「事实是，无论是一份工作，还是一个住址，无论怎样申辩，你如果真的不一样，你当然可以选择在这里，但你一定有能力不在这里。」

在和叶先生搬到一起之前，我芳龄二十八岁，和小曼同住。小曼比我小两岁，和我读同一个小学、同一个中学、同一个大学，北京话叫作“发小儿”。

我和小曼有个共同爱好，就是看各类影视剧尤其是美剧的时候，格外留心主人公的家装布置。凡遇心仪场景出现，一个人会立刻按下遥控器的暂停键，把画面指给对方看并大声说：“我喜欢这个！我以后家就这样！”具体到环境方位、功能格局、采光陈设，启蒙大剧 *Sex and the City* 里四个女主人公的家，成为了我的主要幻想模板。看了许多美剧之后，我总结出理想家居的几个要素：

第一，位置要离城市中央核心区不远。

正如乡村对城市，相比于岁月静好，我更想要激动人心。我想要推开门就是世界，关上门就是家，人可以立刻战斗立刻玩乐或者立刻休息。我梦想能在灯火通明的夜晚，端着酒站在顶楼公寓的窗前，看整个城市在呼吸。

第二，要有书房。
用于高浓度的读或写，输入或输出，相当于练功的山洞、修行的蒲团。要能独处一室，隔离扰攘，要陈列读了再读的书，要能在犹豫踌躇的时候静坐。要有窗，要能望见古时月，要开窗时有风吹进，清风明月，再塑金身。

第三，要有衣帽间。
像一切人生赢家女主人公一样，铺陈悬挂所有的衣帽配饰，供我每次进入时检阅。对，检阅。

然而，2005 年，总结出以上理想家居要素的时候，我和小曼还住在北京西南二环一个老旧的居民小区里。这样的小区在北京有很多，普遍特征是一排排五六层高的板楼，楼区里住满热心肠的大爷大妈，绿化带早已被各种私家车占据成停车位，楼区前的小街上饭馆和水果摊一个挨着一个，在夏天的晚上会变成人声鼎沸的露天烧烤。

那两年，小曼是电台播音员，每天天不亮出门，赶在清晨直播。我刚开始创业，经常碰壁，但是劲头很足。因为作息差异大，我俩虽然同住，也只有晚上才能见面聊一会儿，算是一天里最松弛的时候。赶上时间充裕又心情好，一个人提议出去玩，十分钟后两人就可以搽好红唇喷上香水于暮色中杀将出去，赚钱花钱，结伴玩耍，甚少牵挂。

既然说赚钱花钱，那就是很难存钱，虽然已经非常知道钱的好处。在工作上，小曼有她的烦恼，我也有我的，每次聊到这些烦恼，从理想说到现实，最后一定会说到钱上。钱能解决太多问题。就像每次看美剧，当又遇到心仪场景，在一个人按暂停键，又把画面指给对方看并大声说“我喜欢这个”之后，我们开始沉默，我们开始思考为什么明明喜欢这个，却得不到这个。

按说，北京的西南二环，也是离首都心脏和长安街天安门都不算远的地方，我俩住的是三室一厅的房子，面积功能及装修也都不差，但屋里屋外的差距实在是太大了。老小区么，自有老小区的人文特色、胡同遗风，表现在街里街坊都认识，不光认识，还惦记，还关怀。准确点儿说，是街里街坊都认识我们俩，而我们实在是不太认识也不是特别想认识大家，因为年龄代沟确实有点大。

年龄代沟有多大呢，反正就是两年间，我和小曼几乎是我见过的小区里仅有的穿过高跟鞋的人。有无数次，我都是穿着短裙光着腿在小区门口遛狗大妈们的注视下咔咔走出小区大门，并能清晰察觉到聊天的大妈们突然沉静，我只好昂扬前行目不斜视。但有几次，不知为何我的金属链条小挎包和我的臀部形成了尴尬的共振，每迈一步，屁股一拱，那金属链条就会哗啦一下敲在我的屁股上再把小包弹起。我持续走，小包就持续弹，弹啊弹啊我就从大妈们面前走过去了。

“咱们应该是这方圆五里内最大的美女。”我对小曼说。
“不，方圆十里，艳绝西南二环。”小曼说。

我们当然觉得我们始终拥有洋气的世界，白天辗转在北京各处，修学、玩耍、谋生，夜间回到西南二环的家中，继续关起门做面膜听歌看美剧。但偶尔，当我们讨论着剧情走出门，发现大妈在单元门口训斥孙子的时候，还是会觉得哪里不对。有时候小曼会突然说，我不想住这了。我会安慰小曼说，你瞧世界参差多态真好，这里的生活充满荒诞美的真谛。

小区的绿化带停车越来越乱，大妈联合城管开始出手治理后，统一了停车区域，按约收取停车费。我和小曼觉得规范起来挺好，配合地把车停进车位里。

等到圣诞节，小曼提议，电台里有几个老外同事没时间回家，就跟我们不能回家过年一样，有点可怜，不如平安夜上我们家来开 Party。于是那天我开车先接了下早班的三个老外，正好都是男的。在小区门口，我停车入位后，三个男老外鱼贯下车，收停车费的大妈走过来，充满敌意地依次打量，三个老外有点不好意思，低头走过去了。

过了一个月，是个下雪天，我回家停好车，发现换了一个收停车费的大妈，大妈哈着白气说：“你该交这两个月停车费了。”
“两个月？我上个月没交吗？”我挺吃惊，因为大妈收费都是按月穷追猛打，从无遗漏。
“你没交。”大妈非常肯定。

“上个月是哪天收的费？为什么我没交？”

“上个月收费那天，就是你带三个老外回家那天啊！”

“……”

“你可注意点儿吧，上个月你带老外回家，我和另外俩阿姨怕你们两个女孩出事，先赶紧给派出所报备，又跑回去站你们门口听着，大冬天大夜里的冻到十二点！有个阿姨第二天就发烧了！”

我站在雪地里错愕到定住，整个人完全惊呆！

“这地儿不能住了。”我跑回家惊惶地告诉小曼。

小曼听完呆愣了一会儿，干巴巴地问出了一个特别核心的问题：“东边那些有地库有电梯有老外的公寓，一月房租到底多少钱？”其实我们早研究过，以西南二环同样的租金，如果住在北京东三环，我俩只能住在一个卧室里。

那天我开始思考一个深奥的问题：每当我在想“呵呵，虽然我人是在这里，但我和你们不一样”的时候，是不是在自欺欺人？

这是一句那个时期经常会闪现在我脑中的话。很多时候，我依靠这个认知克服了一些不服和不甘心。但其实，这是对自己的某个群体身份不认同又无力跳出时的自我安慰。虽然我自己从未真正说出来过，但我听别人说过。

大四的时候我到一个法制栏目实习，被分配的任务是整理来信。来信用麻袋装着，信里写满冤屈，还常夹带有血腥图片。我们三个实习生埋头整理了三天，第四天又来了一个实习生，她看见图片，反射般地扔掉了信站起来说："我应该不用弄这些信，我和你们不一样！"

我旁边的实习生头也不抬地说："你要是和我们不一样，你为什么也在这里？"

那天我想，事实是，无论是一份工作，还是一个住址，无论怎样申辩，你如果真的不一样，你当然可以选择在这里，但你一定有能力不在这里。

想通这点，我的目标渐渐明确起来。让自己有能力不在这里，首当其冲就是要赚钱。现在看，创业至少这点好，提到"钱"前面的动词，一定用"赚钱"，而不是用"攒钱"。"赚"代表着机会、快、以小博大，目标明确的"赚"让人充满着期待。

2007 年，我开始赚到一点钱，也交往了个男朋友，后来我叫他叶先生。叶先生比我年轻，是华裔，在外资银行上班，租住在北京东面有地库有电梯有老外的公寓。交往几个月，我和叶先生的感情一直积极稳定，然而在讨论居住形式时发生了隐形分歧。"隐形分歧"这种东西，似乎在恋爱合伙之类的早期比较常见，通常表现为一个人的言语或行为，让另一个人不乐意，不乐意的人却又不好说出真实原因。在没有经过钱与物与价值观深谈和考验的时期，都是依靠蜜月感的自我麻醉盖过不安。

叶先生在最初试探着这样说："你可以把衣服挂在这个衣柜。你可以把你的书放在书架这一层。"

我冷冷地说："哦。"心想，我在自己家里想放哪个衣柜就放哪个衣柜，想放书架哪层就放哪层。

过了一个月，西南二环房子楼道里的电灯坏了，叶先生说："你要是收工的时候天黑了，可以直接回我这里。"
我听了感到一阵暖，觉得谈恋爱真好，收工后的归途可以充满期待。然而，也就暖了一天，我又想到了一个严肃的问题。如果叶先生邀请我和他共同居住，那么我是不是要缴纳房租？如果不缴纳房租，那我可就算住在叶先生屋檐下了。如果我放衣服放书的空间都得经过批准被指派，那我宁可继续艳绝西南二环。但如果，叶先生要求我缴纳房租呢……却又觉得哪里有些奇怪。

带着隐形分歧，我和叶先生又交往了一年，我继续在西南二环做面膜听歌看美剧，然后常常打扮漂亮穿过整个北京城去和男朋友约会。当某天约会之后我回到家中，哼着歌卸着妆，尽情地把衣服扔向沙发时，我突然意识到我抵触住到男朋友家的根本原因——怕失去自己对生活的控制。

这控制是一种自由，对我来说来之不易。

2008 年 6 月，我开车去大郊亭桥见了一个不靠谱的客户，累个半死，毫无斩获。我选择从广渠路向西回家，一来避开长安街，二来可以看点新景色，人生已经如此，我要给自己找节目。我慢慢开车，听着电台小曲儿，夕阳如血西下，我如倦鸟归巢。

车开过一个开阔的十字路口，我看到右侧有几栋崭新的高层公寓，米黄色墙体，粉蓝色窗棂。房屋样式及周边绿植突然形成了一种奇怪召唤，让我想起看美剧时摁下的暂停键。我慢慢靠近，停了车，直接走进了看房部。在样板间里，面对每一处细节，所有我按下暂停键的画面开始立体而真实起来，我似乎已经看见了在未来某个午后，当我静坐家中那刻，窗帘被风吹动。一切都完美吻合暂停键画面，只有一个问题——我没钱。

也不是完全没钱，创业两年，钱还是赚了一点点，但我猜没人靠这点钱壮胆来看东三环的房子。当销售人员笑容满面地在计算器上摁出首付数字时，我尴尬地发现，在申请到所谓首次购房优惠政策超低首付之后，我的钱，仅够一间二居室公寓二分之一的首付。这也许意味着，根据两年后的房价和积蓄，我依然买不起这里，我依然无法住在这里。我沮丧地离开了。

第二天约会，叶先生发现了我的沮丧。于是我告诉了他我的暂停键，艳绝西南二环的故事，一见钟情的公寓，还有只够二分之一首付的存款。

“这么巧，我的存款和你的一样多！”叶先生听完了说。

我看着叶先生，有一句话在嘴边，可是实在无法说出口，我想说：“可是我们会结婚吗？”这样一个问题，怎么可以问呢，我大概永远不会问。

叶先生却问我：“你觉得，这是你的 Dream house 吗？”

“是。”

“如果你买得起这个房子，但是你没买，你觉得未来会后悔吗？”

“会。”

“如果你不住在这里，只是投资，你认为是好投资吗？”

“是。”

“好，明天我和你一起去看看。”

第二天，叶先生和我一起参观了公寓。晚饭后，我们进行了一次决定性的谈话，这次谈话，奠定了未来的许多东西。

叶先生停了一会儿，用我认识他以来最严肃的语气对我说：“首先，你作为创业者，我作为 Banker，我们需要达成共识——这是一次消费和投资行为。下面我们是对可能发生的共同的消费和投资行为进行规划，并判断风险和收益。”

我紧张地看着他说：“嗯。”

叶先生接着说：“现在，我们在一起很好，未来如何不知道，但有两种假设。假设 A，我们未来不在一起。”叶先生停了一下，但没敢看我，继续说了下去。

“如果现在我们各出一半首付，买了这个房子，当我们还在一起时，阶段性收益就是使用权体验；当我们分开时，房子就是我们的共同投资，投资收益可以按出资分割。”

我安静地听着，觉得全有道理全对，但惊讶原来恋人间竟然也可以这样谈话。

这时候叶先生突然笑了：“还有假设 B，我们未来在一起。我，非常希望，会是假设 B。”

我点点头，叶先生拥抱了我。

办购房手续前，我和叶先生一起到公证处做了购房出资份额公证，算是对假设A做足准备。公证处的工作人员反复核对了我们的资料，然后抬起头来提醒我："女的是中国人，男的可是外籍，我可告诉你，这份公证在法务人员眼里，就是八竿子打不着的一个中国女的和一个外国男的，五十五十买了个房子，你明白吗？你和他在法律上，是陌生人，你明白吗？"

"明白，明白。"我心说，分手我也赚了呗。我拿上公证书，挎上叶先生，欢天喜地地走了。

2008年10月，我在和叶先生交往了一年后，带着出资公证书搬进了新家。我们买了顶楼，为了我能在灯火通明的夜晚，端着酒站在顶楼公寓的窗前，看整个城市在呼吸。

在之后的七年间，我们在这里结了婚，收养了一只猫，生下了女儿，我在家中的书房里写下并出版了四本书，而房价比买入时涨了三倍。女儿出生后，我的书房让给了女儿，我和叶先生在同层又买下了另一间公寓，作为我的书房、衣帽间和家庭健身室。这一次，我们不需要再去公证处做公证了。

我和叶先生都认为，那年，我们把仅有的积蓄拼到一起并做公证，去赌未来的假设B，是我们最浪漫的一个决定，也是我们为彼此的未来做过的最棒的投资。

Ⅲ. 最深的懂

「 也许本来就会是这样，全由自己决定成为什么人，
去到哪里，没有一个人能真正左右和笼罩另一个人。」

1. 最深的懂

二十出头的时候，我曾对一个现象持续地迷惑不解：那些商业生涯里叱咤风云头脑清醒的大叔，为什么会肯花时间精力和美丽但浅显的年轻姑娘们耗在一起呢?

我在许多场合故意或不故意地听到大叔与姑娘间可疑的对白，关于吃什么在哪儿吃，关于穿什么哪天穿。大叔的微笑和耐心都令人匪夷所思——姑娘们除了美之外懂得多少呢？聊什么呢？交流到什么层次呢？苍白的灵魂如何能具备持续的魅力呢?

当然了，我之所以会这么想，是有个重要的心理活动作为前提，那就是——为什么我这种有内涵有深度的姑娘得不到大叔的青睐呢？哼，大

叔们还是太浅薄！

二十出头的我，曾经是盼望与大叔恋爱的。而这世间又没有无条件的恋爱，每一个恋爱中的姑娘，总是为了图点儿什么。那么当我盼望大叔的时候，我其实是在图什么呢？

人各有志，有的图老生常谈的功利条件，有的图亲密和依赖，还有一部分自诩格局高些的姑娘，比如我，图的是最高尚而玄虚的内容：智慧和懂。我那时迷惘太多，急需看清世界，急需一个人告诉我章法和去处，急需一个精神导师。十几年前的日记里，有段话让今天的我看了也会羞愧："我的理想恋人，要能拉着我的手带我奔跑，即使速度太快我跟不上，哪怕摔倒流血，我也要爬起来，再跟着他奔跑下去！"对那时二十岁仓皇的我来说，世界这么大，我总得信谁，总得追随谁，如果有大手握着我，在前面高举火把，我便可以尽情依恋和仰视对方的智慧。他振臂一挥，我欣然响应，然后大踏步一条道走到黑。

然而十几年过去，我等待的那个精神导师，一直都没有来。好像有谁瞬间闪亮过，又因为什么迅速崩塌和暗淡。也许智慧和懂从来都是最难量化和最不稳定的内容，它们会随着时间、环境、参照系和主观需求而改变。

我摔跟头，走错路，流眼泪，缴纳学费，然后慢慢地，终于琢磨出了章法和去处。这其中，我渐渐有了很多好友，也聊灵魂和方向，许多人手中也有各自的火把，但从来没有遇到一个真正的精神导师般的大叔。或者，很多人都无意中成为过我的精神导师，根本无需我想象中那样一场庞大的恋情，只需要一段路、一席话、一本书。也许本来就会是这样，全由自己决定成为什么人，去到哪里，没有一个人能真正左右和笼罩另一个人。

斗转星移，到了我三十二岁那一年。有那么一天，我和一个比我小十岁的正太共进午餐，正太说了一些轻松不费脑子的话题，关于吃什么在哪吃，关于穿什么哪天穿。我笑眯眯地看着正太俊俏的脸和阳光下闪烁的皮肤，恍然明白了当年令我费解的那群大叔！

商业生涯里叱咤风云头脑清醒的大叔们是多么聪明，专时专用，专人专用！生意那么复杂那么累，他们何必再多一个人用来探讨和追随？就像此时此刻，正太那么漂亮，我根本不需要他和我聊灵魂和方向，我在观赏的是生命力和天真，干吗要苛求他的其他功能？生意之外，杯酒人生，自有友人和自我，去负责智慧和懂。

2. 相认孔二狗

深圳卫视谈话类节目《夜问》邀约我参加录制，并告知同期的两位嘉宾是柳岩和孔二狗。“谁是孔二狗？”我问塔塔。塔塔说：“好像是演艺文化圈写书弄电影的，大畅销。”

孔二狗必定是个笔名。为了对同期嘉宾做些礼貌性功课，我翻了翻孔二狗的微博。微博全是插科打诨，哪条都不像当真。总之结论是，他的人我没见过，他的书我没看过，他的朋友和我的交集也不多。

准备录制时，我在化妆，孔二狗进来了。我从镜子里瞅了瞅他，穿得挺休闲，板寸头，蚕豆脸，他也瞅了瞅我。节目编导随后把我俩互相介绍，我俩又礼节性点点头，多一句都没寒暄。

孔二狗一进来就不断拨电话，东北口音唠完这个又约了那个，我和相熟的化妆师默默交换了一个眼色，表示闹得慌。

上场前，节目编导来找我："您可以在节目上推荐一下您刚出的新书《三观易碎》。""好的，谢谢。"我回答。

节目编导又走向孔二狗说："孔老师，您也刚出版了新书吧，您带新书来了吗？可以在节目上推荐。"孔二狗淡淡地回答："我的书，不用推荐。"

明显感到化妆师摆弄我头发的手停了一下；我也在心里默默翻了一个白眼儿并嘀咕说：这啥意思啊？

《夜问》开始录制，选题很适合插科打诨，主持人乐嘉频频挖坑让嘉宾跳。我以为按照孔二狗的微博风格，必然东拉西扯。然而，他坐在我和柳岩中间，整个录制过程都很沉默。对于一个娱乐性谈话节目来说，简直过于沉默了。我扭头看了他的蚕豆脸好几次，但他和我对视超过一秒就转移眼神儿，几乎不肯目光交流。

节目录完回到休息室，孔二狗拿着我的书翻了几页，开始问有关写作的问题，我回答了一个又问一个。问答中，工作人员、主持人乐嘉和柳岩纷纷告辞了。

当我准备和助手及化妆师离去时，一件惊悚的事发生了——孔二狗突然上前一步拉住我胳膊，压低声音并用一种奇怪的语调说："你过来一下，我跟你说个事儿。"然后不由分说就把我拽向休息室角落里的沙发——这要不是周围还有人我肯定甩开胳膊跑了！

我耐着性子陪孔二狗坐在角落的沙发里，助手和化妆师站在不远处莫名其妙地看着我们。磨叽了几秒之后，孔二狗突然变了个人，直视我的眼睛问：

"十年前，你是不是用一个 MSN 的 ID，叫 cat 什么什么？"

"啊？"我发呆。

"十年前，你是不是经常上一个论坛，叫 kaoyan.com?"

"呃……"我回忆。

"你的 ID 叫 Wendy，对吗？你在论坛的头像照片是在上海新天地拍的，后面有'逸飞之家'四个字，你斜背着一个包，黑色的。你要考人大。"

"……"我开始浑身发冷。

"你好，Wendy。我就是十年前论坛上的'考研炮灰'！"

艾玛，我疯了。

我全想起来了。

2003 年，我是北京一个小白领，辞了工作在家考研。我经常登陆考研论坛，在论坛上交到的唯一朋友，ID 就叫“考研炮灰”。他说他是在上海工作的一个小白领，爱好文艺，想考电影学院研究生。我记得他打字飞快并且表达流畅——这一定是我与他成为朋友的重要原因。我和他在考研之外交换过许多信息，有关成长、心情和梦想。尤其关于梦想，他说他不想再当小白领，未来想拍自己的电影；我说我也不要再当小白领，未来想有自己的公司。

我们至少持续在线上交谈了半年之久，贯穿了整个考研复习期。我们说到过有机会在北京或者上海见面，但后来没有实现。我已不再记得后来为何在 MSN 上失去了和他的联系，然后忽地一下就到了今天，十年之后，2013 年。

全部细节对上，丝毫不差！

“我今天进了化妆间，第一眼就认出你了！”他还挺得意。
“我说呢！刚才整个录像期间你就琢磨这事儿呢？！”我恍然大悟。
“嗯。”二狗脸上闪过一丝腼腆。竟然。
我长吁短叹，又惊呼大笑不止，使劲拍沙发，站起来又坐下。他看着我乐。助手和化妆师在旁边看傻了。

“那你后来考上电影学院研究生了吗？”我问他。
“没有。”二狗说，又咧开嘴乐了。
“但是我拍成了电影。”二狗说。
“嗯。”我忽地一下，突然感动了。

二狗又拿出我的书，让我给他写寄语，我写下“天涯何处不相逢——这样也行！！！”。

就这样，十年后，在《夜问》的演播室，我完成了和我人生中一个重要朋友的重逢。

3. 给趁早团队的一封信

亲爱的趁早团队：

大家好！

我很高兴，今天我们能够坐在一起吃晚餐，庆祝“趁早”诞生一周年。

其实坐在一起吃饭对咱们来说很平常，因为每天中午大家都是这样度过的，咱们都是这样同吃一桌饭，说工作，聊天。每天中午咱们都是至少四菜一汤，在“趁早”诞生后这一年中，阿姨至少为我们做了 1400 个菜。咱们吃完这 1400 个菜，一年过去了。

据说有夫妻相的人，大部分原因是因为吃在一起，由此可以推断，一个每天吃在一起的团队，应该也有团队相。“趁早”肯定是有趁早的团队相。我很骄傲地认为，现在能坐在这里的每一个人，都有着一些相似的质地：务实、靠谱、坦诚、追求理性、富有责任感。虽然每一个人加入这个团队的时期、初衷和机缘不同，但我认为，今天的团队，是我创业以来最团结、最具有战斗力、最有希望的团队。今天的环境、食物和每一个人，都很漂亮，我希望大家和我一样，记住这一刻。因为，今天将会是我们未来回忆的一个重要的历史时刻。

去年的这个时候也是一个历史时刻，因为我做了一个重要的决定，把主营公关活动策划的目后佐道团队集体转型，成立“趁早”品牌。而咱们团队的核心成员都没有质疑我的决定，努力工作适应方向，和我一起完成了转型。我的内心非常感激。但是我知道，单纯的感激没有实际作用，也不长久。一年来，我最希望的是我们都能看见转型后的成绩，并为这份成绩感到骄傲。今天我觉得，我们做到了！（此处有掌声）

在一年之前，这个世界上原本没有“趁早”这个品牌，也没有“趁早”的用户和认同者，是我们从无到有地创造了它。我作为创始人，给了它灵魂；我们的生产部，给了它实体的生命；我们的电商部，给了它走向同类的通路；我们的市场部，给了它展示的舞台。而我们的使命感来自于产品使用者的认同和她们人生的真正改变。好观念与好工具带给人们的是实实在在的改变。从这个角度来说，我们当然可以说，我们影响了一点点的世界，我们为此感到荣耀。

没有人知道明天会怎么样，但作为趁早精神的核心团队，我们最了解是——美好的未来，是由现在开始创造的。我希望大家从现在起，和我一起试试看，特别特别努力一年，是什么样。自己、“趁早”和这个世界，又会发生什么样的变化。这是生活最迷人的地方。“趁早”真正的惊喜与奇迹还没有来，我们会亲手让它到来。

作为“趁早”的创始人，我给“趁早”的读者和用户写过很多文字，但这是第一次真正给趁早团队写信。我曾写过我们是一艘船上的人，是船长、大副和水手，一起把船开往灯塔，开往美好彼岸。这个比喻当然没有错，但很多时候，我内心深处不是这么想的。我觉得，我们是同吃一桌饭的人，而且还会吃下去。我们团队的核心成员，好几个从目后佐道的创业初期就加入了团队，在这里度过了青春年华。我知道，时间是生命里最宝贵的东西。我常常觉得，有的人就像嫁给了我一样，我得给她一个坚实的肩膀，给她在这儿同吃一桌饭的信心，给一个美好未来。我会为此努力下去！

最后，希望大家记取今天。让我们开始特别特别努力的下一年，让美好的未来，现在就开始发生！

谢谢大家，我爱大家！

——于 2014 年 9 月 14 日“趁早”一周年晚宴

4. 亲人仪式

七岁的时候，我在阳台的笼子里养了两只文鸟，一公一母。公的白色，母的驼色。小身体红嘴，跳来跳去，叫起来是“伊、伊、伊”的声音。

这俩鸟住在一个笼子里，吃一个罐子里的小米，我当然认为这俩鸟是一对儿，就像七岁的我对于婚姻的认知一样——就像我爸妈、邻居叔叔阿姨、小学同学的父母，吃睡在一起，出了门肩并着肩，关上门商量自己家的事。

它俩到我家不久，我爸用小纸盒垫上棉花做了个窝。窝做好的当天晚上，我兴奋地发现俩鸟跳到窝里就寝了。小窝不大，它俩紧紧并肩趴着，一簇白毛球和一簇棕毛球挤在一起，眯着眼睛，温馨极了。过了几个星期，驼色母鸟竟然下了几个蛋，但不知道是没有经验还是什么原因，并没孵出小鸟。我伤心了几天，也非常担心它俩会伤心。

入秋以后一个早上，不知从哪里又飞来一只文鸟，白身体橘黄嘴，很好看，站在笼子上“伊、伊 、伊”地叫了很久，我爸说好像是母的。我和我爸去阳台看，它也不走，我爸打开鸟笼门，这飞来的鸟竟然自己走进去了。到了晚上，我担心三只鸟怎么睡那个小窝，就跑出去看。然而我吃惊地发现，驼色鸟正缩在笼子角落，而窝里是红嘴橘嘴两簇白毛球挤在一起！新鸟把旧鸟的位置霸占了！

我愤愤不平，去找我爸，我爸说，改天找个更大的窝。但没有等到改天，第二天早上，我发现驼色母鸟死了。等我发现的时候，它就躺在笼子底部，身体已经僵硬，而红嘴公鸟和橘嘴母鸟依然若无其事地跳来跳去，啄着罐里的小米，“伊、伊、伊”地叫着。

七岁的我简直对眼前所见难以置信，受了刺激，哭着去找我爸。我爸说，动物世界物竞天择，谁强谁留下，谁弱谁不被选择。我说不被选择就得死吗，为什么不是三只鸟一起好好活着？我爸说，可是窝小啊资源有限。我说那公鸟怎么自己不在窝外面让俩母鸟睡里面啊？我爸想了一下说，总的说来，动物世界，是公的世界，强者也就是决定者通常是公的。我说它俩不是结婚了吗是亲人吗？我爸说，不，那是人，人才结婚，人才把一个没有血缘关系的人当亲人，还有，那俩鸟是咱们买完放在一个笼子里的，但是人结婚，是自己选的。

新母鸟到来当夜就被赶出窝僵死在笼子里的旧母鸟，是我七岁那年触目惊心的一课。我爸说那是动物世界，谁强谁留下，谁弱谁不被选择，但很多年后我在无数人类世界的狗血故事里看到了类似的剧情。也是七岁，我第一次明白，婚姻里的两个人，是没有血缘关系的，但婚姻里的亲人，是自己选的。包括我爸妈、邻居叔叔阿姨、小学同学的父母，他们都不是天然就在一起的，他们都是互相选的。

要说早熟，我最早熟的一个想法就是：一直对未来这个亲人好奇又期待——万千人之中，我要在什么时候用什么办法把他认出来？是什么样的一个人，我本来不认识他，认识了之后竟然可以像我爸妈那样吃睡在一起，出了门肩并着肩，关上门商量自己家的事？

直到二十多年以后，我才明白当初我爸说“人结婚，是自己选的”是什么意思。就算谈恋爱的时候好到一塌糊涂，也没谁是为谁专属打造，婚姻里的这个亲人，是后天的。

我只记得大概交往超过一年，我就不再频频赞美叶先生当初可圈可点的特质了，优点开始变成理所当然。住在一起之后，由日常生活启动了真正的考验。从每天早晨开始，我就觉得哪里不对。我早晨习惯吃白粥和鸡蛋，于是我自认非常贴心地煮粥和鸡蛋，在桌上摆好，叶先生吃了几次，说不爱吃；叶先生早晨习惯吃豆奶和麦片，有时候给我煮好还撒上葡萄干，我尝了觉得太甜。反复几次，我有种不祥的预感：不对啊，这肯定当不成亲人，我爸妈不这样啊，我爸妈可是几十年同吃一锅热乎乎的早饭。

等到周末，差异更加明显。由于我爸常年要求我周末早起学习造成了逆反，我认为周末就应该先在家休息，睡够觉，看书还是做家务要看心情体力，不化妆随便穿，重点在于懒洋洋地随心所欲。但叶先生认为周末依然应该早起把日常事务完成，然后要打扮漂亮出门去，参观逛店见朋友吃好吃的，重点在于有充分时间去看新的东西。

“星期一到星期五都要工作啊，工作是为了自由。周末需要自由。”

“工作是为了真正的 Life，如果周末都用来恢复星期一到星期五的累，等于还是没有 Life。”

“到底什么是你说的 Life？！”

“到底什么是你说的自由？！”

“自由就是按我自己的意愿过周末啊！”

“自由有小自由和大自由，周末睡懒觉是小自由，特别小的自由！你想要的就是这么小的自由吗？”

“我现在就先要小自由！”

“那你想要大自由吗？”

关于自由的辩论，我第一次惊讶地发现叶先生好像从价值观上懂我。我始终认为，无论多么小的日常琐事，向上追溯都是价值观投射的结果。在可自由支配时间的使用上，最能体现人和人的区别。这个区别就是价值观的区别——在有限的时间里，你认为什么是最宝贵的，你才会选择去做什么。

交往第三年，当我们结婚的时候，我们周末的一天会这样开始：早早起来，他做自己的豆奶麦片，我做自己的白粥鸡蛋，各自吃好，把家务完成，然后打扮漂亮出门去，参观逛店见朋友吃好吃的，留出充分时间去看新的东西。亲人是后天的，当人们成为亲人，不意味着成为相同的人，而是成为懂的人。有一些习惯调和了，一些没有调和，但新的亲人会带来新的习惯，这些习惯会成为未来漫长生活里只有亲人间才懂的密码。

为了大自由早日到来，结婚后我继续努力经营创业公司，常常加班到深夜，我和叶先生的早起时间不再相同，我吃早餐时时常看到他的麦片空碗。而我的周末开始变得既没有自由也没有 Life。在婚后的第二年，我感到创业公司进入了发展瓶颈，心情压抑，好几天闷闷不乐。有一天，在情绪的低点，我开始怀疑是否选错了人生道路，我对叶先生说："要不然，我去找个地方上班吧？"

"你在说什么啊？"

"我说上班。"

"你疯了吧！"

我认真地看着叶先生的脸。

人们常常说一个好的人生伴侣，是支持对方的所有一切决定，无论你是打算创业、上班，还是做家庭主妇。但当时我想，不，不是这样的。好的人生伴侣，应该懂你，既然懂你，他应该只支持最是你自己的那个决定。那一天，我并不知道我是否选错了人生道路，但我想，我应该是选对了我的亲人。

人们也常常说，婚姻是一个男人对一个女人最大的赞美。但我觉得，在婚姻初期，绝对是一个人对他人最大的投机，这个投机在赌两个人成为亲人的可能性。只有当岁月论证，当亲人关系真正建立，赞美才可能产生。在有了女儿之后，一次采访中，我听到叶先生回答了一个问题。

“你希望女儿长大后像你太太这样生活吗？”

“如果她长大后成为我太太这样的人。”

“那你愿意女儿长大后成为你太太这样的人吗？”

“我愿意。”

“我愿意。”这是我听过的来自亲人最大的赞美。

婚姻是一个登记成为亲人的仪式，然后从这一点延伸开去，复制与扩大亲人的队伍。有了亲人，茫茫人海，无论福祸悲喜，有人一起承载消受此生，凡事仿佛都容易了些。我们扑向婚姻，寄希望于家庭，因为终其一生，我们都在找一个地方，更甜蜜，更安全，更像妈妈的怀抱。

Ⅳ. 黑猫少女

「一个人类渺小而雷同的小孩，未来是靠着内心的某种火焰，渐渐和其他人区别开来的吧。」

2015 年 9 月 20 日上午，我的第二只猫叶苍苍死了。

我和叶先生办理完叶苍苍的火化回到家，不再有猫跑出来蹭腿了；坐在电脑前，也没有猫来踩键盘；睡觉时，也没有猫在黑暗中跃过头顶。习惯了五年的事，在这一天戛然而止。

“我没有猫了。”我发微信给塔塔，心里想的是：我以后再也不会养猫了。

塔塔哭得很厉害。塔塔在微信的名字后面就有个猫头符号，那代表离开了她的那两只猫。成年以后，我们发现，如果不能给别人的生活带来灵感和甜美，如果不能成为别人的同谋和缪斯，我们宁可不进入别人的生活，别人也不必进入我们的。但猫不一样，只要张开双臂把它迎入生活，它总会参与，甚至给你相爱的错觉，甚至成为你的同谋和缪斯。但它的离开总是猝不及防的，谁都没有做错，本来同在美好的电影画面里，一切却会在某天终止，毛茸茸的温暖突然消失，房间会静下来冷下来，生活熟悉的一部分被带走了。你感觉到空旷袭来，又无处怨恨，因为你看不见那大手，你感觉到悲怆的命运。

经历过两次之后，塔塔早已决定不再养猫了。

塔塔五岁的儿子把我们的三只猫画在了一幅画里，说它们会一起在猫天堂里吃猫粮。画里并没有我的第一只猫 VIVI。我才想起，VIVI 在的时候，塔塔甚至还不认识今天她儿子的爸爸。我们其实永远不会知道猫的感受，我们哭，从来是从我们的角度——因为里面充满回忆，因为每只猫的生命，都占据了我们的某段人生。

我养第一只猫 VIVI 是在 2004 年，也是认识塔塔那年。塔塔是我某个前任的朋友。十一年过去了，我往来密切的女性朋友因为各种原因来来去去，竟然只有一个生活散漫身材膨胀话多又密的塔塔一直在，如今成为了我最好的朋友，这事儿我一度想不通。

我和塔塔在年初的滑雪场上认识后，只在单板聚会上才偶尔见面。二十四岁的塔塔那时是个滑雪俱乐部的两名组织者之一，但她显然懒得花心思组织大家。我作为一个初来乍到的人，立刻就能看出她喜欢谁讨厌谁。进来一个喜欢的，她不管在干吗，马上眉开眼笑地歪过去聊；没感觉的，她抬眼瞅一下点个头；至于她看不顺眼的，对方就比较惨了，不管对方是否要消费，她一定全程丧着脸爱搭不理，嘴角戏剧性地往下撇，唯恐对方看不出来。

从一开始，塔塔好像就是喜欢我的。因为塔塔有颗长在半空的奇怪虎牙，碰上高兴事遇见喜欢的人，笑起来鼻子眼睛拱在一起时，虎牙会无遮拦地露出来。我发现塔塔和我说话的时候，虎牙经常露出来。好像在滑雪俱乐部活动期间，塔塔和我生过一次气，因为什么已经忘了。没人会真的和塔塔计较，因为她显然还是一个少女，留着齐刘海，童颜少女肥，乖张任性，事情只分为好玩和不好玩，只为眼下哭哭笑笑，从来不想明天，率真、勇敢、好奇，像十七岁。我有点羡慕她。

2004 年夏天，我是个小白领，正在写字楼里上班，塔塔突然语无伦次地哭着给我打电话，说来说去就是让我开车去接她，立刻马上！我紧张起来，猜测一定是出了什么事，虽然不熟，但是脑中图景是一个哭泣少女在向我求救！我不能不去！

到了现场，我被狗血的场景惊呆，滑雪俱乐部的另一个组织者——塔塔的男友，被塔塔抓了劈腿，三人正站在一条小街上剑拔弩张地对峙。对峙格局是劈腿男友及另一女生站在一辆小红车前，孤单的塔塔满脸是泪悲愤地站在风中。

这时候我到了，踩定刹车刚看清状况，塔塔转头拉开车门就坐了进来。
“开车！”塔塔目不斜视地看着前面发令。
我充满疑惑地问：“去哪儿？”
“你就先开车！！”塔塔吼起来。

我决定先不要惹这位暴躁少女，猛踩一脚油门，从对面的小红车前开走了。刚开出三十米，塔塔突然在副驾上扒着座位回头偷瞄起来，瞄了一会儿转过身来问我：“就刚才，有没有绝尘而去的感觉？有没有？！”

“你说什么？”我完全没听懂。

“就那女的！有个小红奥拓了不起啊！咱们帕萨特完胜啊哈哈哈！”塔塔吸溜着鼻子笑起来了。我这才懂了塔塔找我来接她的目的，简直哭笑不得。

回程路上，我第一次问了塔塔的年龄和经历，这才明白，我刚急冲冲去救的是一个只比我小三岁，但胖上十几斤的“少女”。

毕竟是失恋，塔塔笑了一会儿，又难过起来。担心她的情绪，我把她接回了我家。那是塔塔第一次来到我家，第一次见到了我的猫 VIVI。也是因为失恋，为了排遣伤心，我刚把美国短毛猫 VIVI 接到家一个月。

塔塔的工作地点就是滑雪俱乐部，失了恋，连同工作也没了。塔塔那几天住在我家，我做饭给她吃，给她抱猫，讲我被劈腿的故事。为了分散注意力，塔塔开始给 VIVI 做猫连体服。第一件做小了，VIVI 穿上东倒西歪的，塔塔笑得乐不可支，笑了一会儿又哭起来。

“怎么了怎么了？”我连忙问。

“我给我男朋友的第一件衣服就是买小了呜呜呜。”少女塔塔哭丧着脸。

我翻了个白眼走开了。

离开我家后，塔塔喜欢上了猫，自己也领养了一只，起名叫二呆。由于我成为她上一段恋情的见证者，又是养猫的启蒙者，我和塔塔开始了关于恋爱和养猫话题的频繁交流。在交流中我发现，我和塔塔显著的区别是，我对恋爱对象与对猫，似乎是同等耐心，而少女塔塔对猫，是对恋爱对象的十倍耐心。

“二呆今天一天没搭理我，它好酷啊！”塔塔说。

“我男朋友一天没给我打电话，他是不是想死啊！”塔塔说。

我们还发现，人的天性是如此不同，造成的私人气质也难以解释。塔塔总是像少女，我总是像御姐。一个聚会上的陌生人初次聊天，会问塔塔：“最近有什么好玩的地方？”转过头来这人马上问我：“最近在看什么书？”慢慢地，我和塔塔的聊天也会有些功能性，针对一件事情，我会找塔塔聊许多漫无目的的发散思路，塔塔会找我聊一个归纳方案。日子久了，又慢慢地形成了我俩的常用语言体系。“太乱！”我说塔塔。“没劲！”塔塔说我。

由于频繁地见面，到了2008年，塔塔索性搬到我家旁边，做了邻居，同时搬来的还有小曼。那一年我们住在一个小区，晚上常常在我家吃饭，形成了紧密的小团体。到了年尾，因为我要旅行，VIVI就寄养在塔塔家，然而我还没出发，VIVI就在塔塔家突然发病了。VIVI是在我和塔塔怀里死的。

第一次经历宠物离世，我和塔塔都哭抽抽了，停不下来。从2004年开始，VIVI就见过了若干次我和塔塔在家哭泣。失恋和人生低潮里，除了我和塔塔互相知道，也就是VIVI了。我很清楚，很多时候，有一只柔软温暖的猫抱在怀里，是不一样的。一点点的安慰，可以带给人很多平静。

再以后，不知道还会面对什么，没有猫和朋友的时候，人必须更坚强些，因为人是只能自己抱着自己的。

VIVI 火化了之后，塔塔拣了一块小骨头，用手绢包着走了。我们常常回忆 VIVI 还在的时候我们的生活，紧接着，我三十岁了。

最初，我们对遥远的三十岁有很多想象，在大家都失恋的时候，我曾对一票姐妹夸下海口："如果三十岁我还是单身，我就请你们去贵贵的牛郎店！"塔塔马上响应："好啊！一定特别好玩，我求你三十岁是单身！"

但我的三十岁竟然转眼就到了，并有了男朋友叶先生，那天我岁月静好哪也没去，在家写了一篇文章《写在三十岁到来这一天》，第一个发给了塔塔。

"哼，说好的牛郎店呢！我恨你！"

"这个文章写得还不错呢……但是我恨你！"

塔塔说完她恨我，把这篇文章发在了自己的 BLOG、豆瓣和各大 BBS 上显摆去了。

过了几个月，有三件事出乎了所有人的意料：一、这篇文章突然红了；二、塔塔突然怀孕了；三、塔塔宣布要结婚！具体一问，说二月初见了个人，二月底就怀了孕。

塔塔哈哈笑着说："谁让我是风一样的少女呢！"

我没说话。

然后，塔塔第一次认真地站在我常用观点的对立面，看着我一字一字地说："人生并不是都能计划的！"

我没说话。

我非常非常担忧，我内心在喊："我才不在乎人生到底是不是能计划啊！我只在乎你以后会不会高兴啊！会不会无忧无虑地生活下去啊！"

我还想追问："你们根本还都不了解啊！如果他有你没发现的恶习呢？如果他家人讨厌你的纹身呢？如果你迅速厌倦了他呢？"

可是这些现实又恶俗的担忧我最终一句都没说出口，因为这是塔塔啊，是一个无所畏惧的少女。塔塔根本就像猫咪一样，不管她是睡觉还是吃鱼，热情还是冷淡，都是她自己的意愿，她是从来不会在意周围的人是怎么说怎么做的。从来不想明天，率真、勇敢、好奇，像十七岁。这才是塔塔。正因为如此，我才喜欢她。

在整个怀孕生活期间，塔塔未谈论过她的决定和未来，却把许多精力用来鼓励我把网络红文写成书，天天在我家捧着肚子构思《女人明白要趁早》的提纲和故事，正式成了我的同谋和缪斯。在我的书出版的时候，塔塔的儿子也出生了。在我的新书发布会上，播放的是她进产房前的视频。我们都用各自的作品正式开始了自己的新生活。

当书渐渐成为畅销书的时候，我在三里屯遇到了我的第二只猫。

2010 年 11 月 24 日下午，我去三里屯一家公司开会，在一层大厅自动玻璃门关上的瞬间，溜达进来一只猫。这只猫进门后径直走到我脚边，叫唤、绕圈与蹭身体。猫是公猫，年龄不详，看牙齿也许两岁；有点瘦，尾巴一定曾经在流浪中骨折，留下一个让人心疼的转折角度。带回家后我给它起名叶苍苍。苍苍代表那些流离不知所归的岁月和历尽艰辛依然旺盛的生命力。

遇到叶苍苍那一天，我从下午到晚上给塔塔发了许多短信，孜孜不倦地转播了叶苍苍的状况。我们共同猜测了它的身世和流浪情节，到晚上十点左右塔塔的老公白纸先生回家后揭开谜底时，我和塔塔不得不强烈感叹缘分这件事的存在：

- 白纸先生是塔塔的老公，工作地点位于三里屯。
- 我遇到叶苍苍的公司大堂，大概在距离白纸先生工作地点五百米处。
- 早在几个月前，塔塔告诉我，白纸公司迁至三里屯，发现使馆区有流浪猫无数。
- 某天，塔塔说，白纸在一使馆院内看到奶牛流浪猫一只，拍照想彩信发给塔塔，被武警发现，勒令删除。
- 到三里屯工作后的数月内，白纸在公司院内摆放猫粮，该奶牛猫每天造访并且最为亲人，白纸遂给奶牛猫取名“曹猫猫”。
- 几日前，塔塔对我说，都说今年冬天会特别冷，曹猫猫它们怎么办呢?
- 11 月 24 日晚，白纸在看过叶苍苍照片后激动地证实，叶苍苍就是他一直喂养的曹猫猫！白纸第一次见到它时，它的尾巴就是折断的。

我还能说什么呢？三里屯使馆区有许多条街道，街道上生活着许多流浪猫，而我几个月内唯一去到三里屯的那天，叶苍苍刚好走进了大堂，一直走到我的脚下。

这是一系列神奇的事，我的生活里原本是我自己一个人，然后塔塔来了，叶先生来了，叶苍苍来了。到了2012年，我的女儿也来了。除了先天的亲人，我们后半生的许多福祉，需要来自后天的亲人。你得张开怀抱，在茫茫人海找到他们。有了他们，挫折来的时候，你会比一个人时多出许多力量。

我的怀孕早期十分艰辛，由于晕眩和呕吐严重，有两个月我都无法起床，对公关公司的运营和项目有心无力。在这期间，公司合伙人用其他注册公司去投标我原有客户的项目，被公司员工发现了。合伙人原本是我中学同学，虽然在中学时候并不是十分熟悉，后来才交往合作，但毕竟是同学，数起来也相识二十年了。我躺在床上，吐完之后怀疑起了人性。

塔塔来看我，讨论起了人性：

“你说，咱俩会不会有一天掰面儿了呢？”

“本来我觉得不会，现在我觉得不好说。”

“可不，为了钱，都不好说。”

“得看是多少钱。”

“你觉得是多少钱？”

“我觉得，怎么也得是两个亿吧。”

“啧啧，两千万应该不会吧。”

“不会，两千万不值得，怎么也得两个亿。”

“对，等两个亿再说。”

界定了这个数以后，我俩觉得踏实愉快多了。

然而我俩谁都没见过两个亿。

过了几天，塔塔又来看我，提出了新建议：

“你说，有了前车之鉴，有什么办法可以预防掰面儿呢？”

“签合同？”

“你和你合伙人不也签了合同吗？管屁用啊！”

“是啊，那这个不行。”

“我有办法防止你跟我掰面儿！”

“什么办法？”

“我要把你所有嘴歪眼斜和素颜照片都攒一起，放到一个文件夹，起名叫‘掰面儿就发’，哈哈哈哈哈哈。”

“你扶我起来！”

“你要干吗？”

“我要吐你身上。”

女儿出生之后，我和塔塔参加了一次闺蜜主题的采访拍摄，采访者分别让我俩向对方表达闺蜜的感激和爱，我支吾了半天觉得太尴尬没说出来。采访完两人一对，塔塔觉得太恶心，也没说出来。

过了一个月，我参加了一个女性护肤品的广告拍摄，又是闺蜜主题。导演把摄像机架在了我面前，又把我的手机递给我，问了我一个问题：“现在，你想象一个情景。十分钟后，你要登上飞机，和家人去一个遥远的地方。因为某种原因，你离开之后，再也无法见到和联系到和你关系最好的闺蜜了。现在，是你给她打最后一通电话的机会。请你现在打给她，和她说话。记住，这是你们有生之年的最后一通电话。”

我拨了电话，心想，塔塔会不会觉得我神经病啊。

电话接通了。

“塔塔，我正在拍你给我谈的这个广告。因为是你谈的，接下来你得忍着听啊。”

“听啥？”

“塔塔，如果这是咱俩有生之年最后一次通电话，我想告诉你：你记得十一年前你哭得乱七八糟的非让我开车去接你吗？当时我觉得你就是个神经病！而且我当天后悔接你来着，因为我还得给你做饭还得陪着你，觉得你浪费我时间。但是现在我特别感谢我自己那天去接你了，否则咱们可能就没有后面这十年了，也可能后来就是陌生人了，互相生活里就没有对方了，我都想不出那样的十年是个什么样儿。导演说这电话是要打给最好的闺蜜的，但是我从来不觉得你是我闺蜜，现在我觉得你是我亲人，因为只有亲人才会在彼此臭毛病特别多的情况下还从来不嫌弃对方。咱十年了，也算交换过生命黄金十年，亲人就得是永远的，是有生之年的，不见不联系也是亲人。作为亲人，我就希望你身体好，高兴，一直心情好。我希望在你这儿，我就永远是当初咱们相遇时候的那么一个人——没问为什么，就去开车接你的那个人；你说走，就一脚油门潇洒地带你绝尘而去的那个人。”

“按照剧情，潇洒的我现在要登机了。拜拜。”

“妈的，太讨厌了，我都哭了。”

到今天，我和塔塔各自的两只猫都分别来了又走了，我和塔塔也早已都不是当初的年纪。但我希望塔塔还是个像猫一样的少女，一个黑猫少女，我的同谋和缪斯，率真、勇敢、好奇，像十七岁。

除了先天的亲人，我们后半生的许多福祉，需要来自后天的亲人。你得张开怀抱，在茫茫人海找到他们。有了他们，挫折来的时候，你会比一个人时多出许多力量。我希望我自己，对我的亲人们来说，永远是那么一个人——没问为什么，就去开车接他的那个人；他说走，就一脚油门带他绝尘而去的那个人。我是幸福的，因为我找到了能让我这样做的人。

Part 5 不然生活多无趣，不是吗？

“活时尽兴，去无所羁。”

按说，人每次坐飞机，都获得一次用上帝视角看人间的机会，都可以更达观更抽离地重新审视事物，但是我们并没有。飞机一落地，纷纷打开手机继续说着破事儿，忧心忡忡，兴致勃勃。

我用了很长时间，才区分开“真想做的事”和“看上去该做的事”。两者的动机分别来自于“我喜欢”和“我看上去必须优秀”。做了前者，别人知道与否不太重要，自己找到乐子活得爽就好；而后者必须结果优异且被看到，当事人才会爽，且只在结果处短暂爽。常说的“重在参与”、“过程更重要”都是针对前者而言，热爱的事不存在坚持。而后者只瞄准战术结果，时间与精力成本就高出许多，也更多怨气、更多半途而废。

但我又用了很长时间才发现，心理预设总是错的。一件事真正开始以后，沿途际遇和路上风景总超乎想象。好的坏的，生活并不按两种分类出牌，短视地看，坏牌挺多，长久些看，多见几副牌总是好的，因为有意思。人也并不分成好的和坏的，人要么是迷人，要么是乏味。

往前走，遇到事，遇到人，像在揣着筹码等发牌，快感和失落常在揭开的一瞬，博弈和盘算有用又好像没用。终归要离场，还是玩大一些吧，玩大一些容易投入。

Ⅰ. 我的 21 公里

记录第一次半程马拉松

「再丰富的想象，也没有现实更激动人心。」

生活里有一点特别迷人——偶然一天，遇到的一个人，说过的一句话。也许后来，那天和那人都忘了，但那句话你记住了，你琢磨了，你行动了。迷人之处就在于，我们总猜不到是哪一句，推倒了第一块多米诺骨牌。

* * *

2013 年 9 月，NIKE 中国媒体负责人突然问我：“想不想试一下马拉松？”我和一起开会的塔塔迅速对看了一下，马上就从彼此的眼睛里读出了四个字：“怎么可能！”

会后，我俩就马拉松交流了三十秒，再次高度认同了该运动必然艰苦卓绝，参加者大多非我族类。我们是麻雀，那都是迁徙的大雁才有力气去做的事。

几天后，电脑前工作的间歇里，一个闪念，我开始搜索“马拉松”。很难解释类似的闪念每次都是从何而来，总之我找到了 5 公里起步 3 个月后完赛的半程马拉松系统训练计划。我盯着那计划看了一会儿，大胆想了一下画面，画面里是我戴着号码牌在奔跑。就这一想，我明确感到自己的心用力跳了几跳。

* * *

10 月，我开始按照计划一个人去健身房练跑。从 5 公里开始，每周延长 1 公里。每次过程几乎都枯燥无聊，都得经历一次意志与倦怠的抗衡。但克服之后也都是必然的喜悦——汗水从下巴直滴到地上，镜子里腰腹好像更平坦。再冲个澡，喷香轻盈，走出健身房的时候，整个人有精良感。

当我意识到这是在为马拉松练跑，出发和更衣就有了仪式意味——整理、折叠、穿戴、抚平，每一个动作都指向一个遥远目标；当跑步机履带启动，我一步步朝前迈，感觉这目标很宏大，需要积沙成塔去实现。

* * *

11 月，NIKE 引导我参加了一个半程马拉松女生训练小组，加我一共五人。 这个小组有漂亮的同伴、装备、健身房和男教练。有了同伴，旅程就不一样，多了交流和章法，告别了一个人训练的孤独。不过，练习时真正跑起来，每个人依然是孤独的，自己陪着自己。跑步本身就是一件孤独的事，他人再分享再加油，要跑到终点也只能依仗自己的体力和意志，就像生活本来的样子。

训练小组一起练习了若干 NTC 力量、变速跑和公路跑。在工体和奥森，我看到许多练跑的人，当然还有更多路人。每次和穿着厚重的路人擦肩而过，我都在庆幸自己的选择，同样时空里，我是正在跑步的那个。

训练小组每个人都很忙，我更是在训练计划中掺杂了几次出差，时间飞快，只完成了两次最长训练距离十公里，比赛日就来临了。

* * *

12 月 1 日，比赛日，我 4 点半起床，5 点多走出和平饭店，向左望见晨光中的东方明珠塔，感觉很抖擞。事实上从抵达上海时我就开始兴奋，对一切充满期待。9 月里那句“想不想试一下马拉松”给了我巨大的诱惑，像一块摆在面前的人生体验蛋糕——在许多人转述的味道里想象，当然比不上亲口品尝。

从 9 月到 11 月，在每一次练跑时，我想象过拥挤的起跑线，想象过路上的痛苦和煎熬，想象过抵达的欢呼，现在终于要在接下来的几个小时里印证。再丰富的想象，也没有现实更激动人心。

6 点多，我和三万人簇拥在起跑线后等待鸣枪起跑，穿两件薄衣，在 12 月的上海竟然不冷。我看不到队伍的开头，更看不到结尾，周围都是兴奋的人，和我一样浓缩为身上的号码，成为洪流中的一颗小沙粒。

气球、音乐、欢呼，一声清脆枪响，我心里说：终于来了，立刻迈开双腿踏上旅程。出发的阵营很密集，周围布满簇簇的跑鞋拍地声音，向前涌动的人群就像跑步机上的履带，我被裹挟着向前，由于紧张和唯恐冲撞，我跑得很谨慎。

1 公里处，我和我的团队就在人群中失散了。

5 公里处，一大群参加健康跑的选手结束了赛程，人群稀薄了些，我继续向前，并用目光搜索装备齐全两两结伴速度相当的外国姑娘，在后面默默地跟上她们。当她们交谈的时候，我就旁听，一旦专注于谈话内容，就可以不知不觉跑出去好远。换了三对儿姑娘，我跑过了 10 公里。10 公里处，又一群参赛者在这里结束了赛程。

10 公里以后，是未知的世界，我的疲劳出现，但精神反而亢奋起来。马拉松真正的意义，一定是那极限之后的路程，因为人会碰触到他的边界。我在 10 公里补给站停下来，喝水时郑重吃下一管双倍咖啡因能量胶，充满战士的雄心。我暗暗重温了自己的目标：安全完赛；又给自己布置战略：保持体能，寻找节奏，一旦力竭，稳定调整。阶段性目标是：先完成 15 公里，然后一公里一公里地缩短目标，无论快慢，跑向终点。

接下来的体验和想象出入略大。从 10 公里后，那种难以逾越的痛苦和煎熬并未如预期出现，尤其是当我看到了一位白发苍苍的老奶奶在跑全马，又看到了一位一只手臂的运动员之后，那些似乎累到需要停下来走但又好像还可以继续跑的犹豫时刻就都一起消失了。我不知道自己的体能是来自于比赛日的亢奋还是能量胶的效用还是之前的训练，也不知道我是真的持续有劲还是双腿已经跑麻木，但就是一心只想向前，不想停下。我开始可以在跑动中安宁地观赏其他参赛者，观赏欢呼加油的人们，观赏掠过的一幢幢洋房，希望记住此刻。我边跑边看边想：我现在是在跑上海国际马拉松耶！

就这样一直跑到 17 公里，渐渐自信爆棚：“我竟然跑到 17 公里了还没有累到想死想扑倒在地上啊，这也太好了吧！”在下一个补给站，我又吃下一管能量胶，为最后几公里做准备——我已经知道一定会顺利完赛。

最快乐的一刻是终于跑进八万人体育馆，天空突然变得晴朗开阔，围观的人群欢笑着挥舞着双手，终点就在眼前，闪亮的计时器高悬在上方，刚才跑过的每一秒种都在计时器上变得殷实和确定。我迈开大步扑向终点，越来越近，抵达的感觉从未如此明确。

我在北京时间 9 点 40 分跑过终点，跑完了我的第一个 21 公里半程马拉松，而在过去许多年的冬日周末里的 9 点 40 分，我都还躺在床上在梦乡里没有醒来。那天上午我笑了很久，觉得人生圆满得无以复加，所有愿望已达成，所有人世美好就像这完赛奖牌一样，都已进入我的生命。

* * *

“想不想试一下马拉松？”

生活里最迷人的地方还在于，到底是因为那天的那句话启迪了你，你才成为今天的你；还是因为你的心中早就有埋好的种子，那句话浇了浇水，让种子发了芽。

Ⅱ. 极少数的阿姨

「 这个世界，当我肥胖又庸俗不堪，

当我放弃了我，就等于离开了你。 」

我十七岁经历了第一次减肥，减肥二十二斤，然后保持差不多同样的体重到了三十岁，才开始认真在健身房练习有氧和器械。

十七岁的时候，世界上的人在我眼中只分两类，好看的和不好看的。由于好看又分成许多种类，人们争辩说其实高矮胖瘦都是美，我为此困惑了相当长一段时间，后来与我爸聊了一次，才确认了自己的方向。

我爸是在我十七岁时勒令我通过少吃饭来减肥的，不得不说那时候我真是吃得太多，总是习惯性吃撑，然后把吃撑误认为吃饱。但吃撑不是重点，重点是我爸认真地与我探讨——用自己的手，拿起勺子，挖起多少饭，放进自己的嘴里，以及何时停止这事，到底是不是可控的？如果是，那我应该尝试去控制，应该探索在咀嚼和饱胀的欲望之上，是否还能有更高级的欲望叫作理性和自律；如果不是，那么我是否已经由自己的身材论证了我根本无法控制进食这件事，如果我连这件事都无法控制，那我可能在十七岁以后的岁月里，干不成什么事了。

当时我非常认真地听取了我爸的建议，开始减肥直至成功，因为我确实是想变成一个厉害的人。但是究竟怎样算是一个厉害的人，我也说不清。我爸说，你得有个榜样，并给我看了一小段《史记》。

《史记》里说，秦始皇南巡，仪仗万千威风凛凛，刘邦看了说：大丈夫生当如此。这个典故说了一个道理，人是可以被榜样召唤的。刚好，在我减肥成功后的那个月，认识了一个阿姨。

包括后来的很多年里，我必须承认，人和人的区别说大也大。人群里，有的人一下子就会凸显出来，周围像有透明气团包裹着，眼睛和皮肤闪着光，姿态利落迷人。我会一直偷看这样的人，猜测到底是什么让人闪光。

那年我家来了这样的一个阿姨，是我妈的朋友。我十七岁的时候，还是一九九几年，世界不是现在这个样子，但那阿姨已经是现在的样子了。在我家门口，她提着自己的包包和礼物篮，穿着白色麻布衬衫，咖啡色高腰小脚裤，米黄色平底鞋，露出小巧的脚踝。进门换鞋的时候，我还在她的黑色齐肩直发内侧，看到了摆来摆去的珍珠耳环。打完招呼，我不肯去做作业，就一直端详着她，看她脸上的皮肤，说话时眼中的光彩，看她衬衫的纽扣和边角，还看她的脚踝怎样从刚好合适的咖啡色小脚裤腿伸出来。若干年后，当开始流行用“精致”这个词来描述人的时候，我一下就想到了她。

“妈妈，这个阿姨多大岁数？”她告辞后，我问我妈。

“四十岁。”

“啊！”我惊讶地望着我妈。

“是啊。”我妈对我的“啊”并不意外。

“她住在北京吗？”

“马上要离开北京了。”

“她是干什么工作的？”

“她在使馆常驻。”

“她结婚了吗？”

“她正在离婚。这次是来告别的。”

“她有孩子吗？”

“有个儿子。”

“她要去哪儿？”

“她没说。估计她会去法国。”

四十岁是多么漫长的人生和遥远的未来啊，在我的想象里，那一定是个神秘的人生，一定有许多跌宕起伏的故事。

我们对年龄的认知最初应该是由儿童和少年时对周围多数人的面孔、体态和生活方式得来。如果多数阿姨呈现倦怠、戾气、松软和下垂，我们就以为那是生长的常态。但在看到她那天，我唯一的想法是：她真好看，我以后想长成这样！

在以后的几年里，我又见过了很多人，许多人都有年轻漂亮甚至光彩夺目的脸，但没再让我有过希望长成对方那样的强烈愿望。事实上，更多年之后，这个阿姨的面容在我记忆中已经模糊了，只剩下一团感觉，而我仍然想成为那团感觉。不是漂亮的脸，不是瘦，也不是衣服精良，那感觉到底是什么呢？

当我的年龄越大，见的人越多，我就越确定当年那个人是极少数的阿姨。在三十岁之后，即使拥有多年同样的体重，我的外表还是开始起了变化，我就越想当那个极少数的阿姨。

为了能成为想象中的那种感觉的人，我开始怕真的变老。或者说，是怕老了以后完全不是我想象的样子。我更频繁地坚持护肤、健身，也开始研读高级养生方法论，参考各种生命力鸡汤。但依然隐约觉得，所有随处可见的养生方法论和鸡汤，都因为太广泛而可疑。一个极少数的阿姨，不会养成于随处可见的大多数的土壤。她的活法一定有什么真正的不同，我想知道这不同到底是什么，我更想知道这不同能否再次实证。

在我三十五岁之后，生活又变了一些，周围的亲友一望便知有些真的老了，开过两个中学同学的追悼会以后，我沮丧起来。我当然知道我要持续维护健康水准，要摄入蛋白质要勤补钙，要保持心肺活力——但一想到人总是要死，一切都走向虚无，最终都没意义，想到我今天流着汗练出的人鱼马甲各种线都会最终成为一摊皱皮再然后灰飞烟灭，我就不想继续了。坚持不懈护肤健身学习就很厉害吗？又能是多厉害？所有的事儿最终都是小事儿，所有的人最终都是普通人。

三十五岁之后，我妈突然有一天提起，她后来和这个阿姨见过面。

“怎么不叫上我去啊！”我表示非常遗憾。

“我们吃饭聊天，你去干吗啊？”

“也去聊天啊。”

“我们讨论她的男朋友，叫你干吗啊？”

“啊！她后来长什么样啊？”

“还是没什么太大变化，头发剪短了，穿得特别好看。”

“她到底是怎么保持年轻的啊，太厉害了！”

“肯定坚持护肤健身。但是跟她聊天，我有个感受。”

“什么感受？”

“保持年轻从来不是她的人生目标。”

我从来也没真正认识过这个阿姨，我常常想我有可能把她过度完美化了。因为她曾经在我十七岁的时候映亮了我家的客厅，还有我对漫长人生的信心。

每次发现自己变老的迹象之后再想起她，我都有几个瞬间的失神，然后要想一想，再来继续我的生活。

我从来不知道她的真正活法，但一直凭感觉知道她的活法是对的。人会从令自己心动的榜样上看到理想的未来模型，这种天然的向往一经认出，根本无法抵御，就像当初看到那个令人心动的初恋对象。你爱上一个理想形象，因为你爱上那样理想中的自己；那么有一天，如果你发现，你从未活成那个样子，或者你再也没有机会活成那个样子了，才是对此生绝望的心死。真正的衰老，应该是从那刻之后到来。

年轻就是相信自己还可以成为那个人，无论宇宙规律怎样，自己不设限不认命，还在为此努力。而让理想主义不会败给现实的方法，就是明知道一切都会被时间碾碎，也要微笑着冲上去啊。日复一日，虽千万人倦怠而吾往矣，才有机会成为极少数的人啊。纵然所有的事儿最终都是小事儿，所有的人最终都是普通人，但人生还是得先品尝繁盛，再品尝衰败，才尽兴啊！

未来某天，或者我懦弱，或者我老了，但我起码记得，对那些真正的、勇敢的理想主义者，对这世界仅存的极少数的阿姨，捎去我的敬意。这个世界，当我肥胖又庸俗不堪，当我放弃了我，就等于离开了你。

现在，是时候拿过接力棒，成为极少数的阿姨了。

Ⅲ. 一粒灵药

2014 年趁早 Party 演讲

「走到更远，尝到更多，爬起跌倒，
好好活过，不辜负这一场！」

一个月前，我和趁早团队给今天的趁早 Party 起主题名字，最后把名字定为“一粒灵药”，我们都很开心，觉得特别好。因为我们认为趁早精神“不是鸡汤，而是猛药”；更是因为有太多的时刻，当我们感到低落、迷茫、无助的时候，都那么希望有句话、有个人、有个办法能马上让我们有方向能改变这一切。

但是一个星期前，我开始有点儿后悔定这个名字了。因为我发烧了三天，胃疼了五天。我去了医院看了医生，医生怀疑是幽门螺旋杆菌导致的慢性胃炎，需要通过胃镜检查确认是不是萎缩性胃炎。我上网一搜，说每十个慢性萎缩性胃炎里就有一个有转化为胃癌的可能，还说萎缩性胃炎的症状和胃癌早期十分相似，还说医生通常会建议怀疑胃癌早期的患者做胃镜。我当时就紧张了，马上给我的朋友塔塔发微信说：哎呀我要真是胃癌怎么办！怎么办怎么办呀！塔塔说：这样，你去翻一本书叫《三观易碎》，翻到第四篇，就那么办！我一翻，第四篇写着“活—到—淋—漓”！

就在我发烧的这几天里，我的女儿问问也因为呼吸道感染发烧了，问问的爸爸叶先生因为打篮球造成了骨裂，行动需要拄拐。我家的猫叶苍苍口腔炎又严重了，流淌带血的口水。我不得不委托我的同事提着猫箱子，叶先生拄着拐去给叶苍苍打针抑制病情。

这几天在家里最糟糕的一幕就是，问问突然吐了，然后哇哇大哭，问问的阿姨抱着她，叶先生想帮忙清理，但因为拄拐半天也没有走过去，我当时因为胃疼躺在床上，只好挣扎着爬起来，因为胃疼也只能弯着腰慢慢起来。我觉得这可能是几年来我家最糟糕的一幕了。当时我就觉得，无论平常写东西把一个句子修饰得再完美，化妆发型再精致，其实这才是生活，或者说人生最平凡的一部分。

还有，那个时刻，我清楚地知道，从肉体上，我找不到一粒灵药马上治愈全家人。但是我也没有因为这个情况特别沮丧，反过来想，首先我得有个老公，有个孩子，有个猫，有个胃，我是因为同时拥有了以上所有事物，才能同时发生这一切吧。面对现实的时候，尽量先让思考问题的角度成为解决问题的第一粒药。

真正让我对“一粒灵药”这个主题产生触动的，是另外一件事。

12 月 4 日，是一个星期四。上午我到办公室打开邮箱，收到一封新邮件，再细看是两封邮件。一封是一个在美国读博士的女孩的师姐写给我的，另一封是她转发的，是这个女孩的美国教授写给我的。

这两封信位列工作邮件和读者来信之中，我按照习惯先粗略浏览梗概，然后马上开始严肃急迫地看，然后又逐字逐句地看了一遍，然后又看了一遍。然后我打开了这个女孩的博客。她叫安安。我看到了她的照片，很多生活和思想，看到了好几次我的名字，还看到了她和我一样的生日日期。

写信的两个人都在信里告诉我安安病了，她在今年初被发现肝癌晚期，现在部分肝脏已经被切除，接下来的生存几率是百分之六。安安本来今年就要在美国博士毕业了，但因为生病，一切都改写了。他们希望我可以给安安写信，希望我的信会给她增加勇气，但从安安博客连绵几年的文字里，很显然她本身就是一个乐观和充满勇气的人。

可是，当时我就知道，这应该算是我学会写字以后，最难写的信了。因为当我尝试换位思考安安现在的心情和状态，我发现根本无法想象。怎样想象，我都没有资格和依据。在曾经出版的两本书里，我写过两个得病朋友的故事，她们一个治愈了，一个没有。我写了她们的故事，是为了告诉自己和读到的人去生活得达观和淋漓。但我根本不知道，该怎样去写给安安的这封信，什么样的话语和内容才是不矫情和不苍白的，是应该让她读到的。

星期四，我想了一天，什么也没写出来。

星期五下午，我和朋友塔塔按原计划去了广州。几个月前，我们就定了这次行程，专程去看舞蹈家杨丽萍的舞剧《孔雀》。今年我的公司和杨丽萍的公司有些合作，在项目进行的过程中，我们听说了很多次《孔雀》舞剧的震撼，尤其对许多观众在观看中流泪满面的情况表示好奇。广州的这次演出，是杨丽萍舞蹈生涯中在国内的最后一场巡演，我们觉得必须看，如果再不看，我们就没有机会懂了。

星期六，我们看了《孔雀》。开场前，杨丽萍的助理眼圈红红地说，杨丽萍毕生都在跳舞，全部灵魂和日出日落都只围绕舞蹈，这舞剧就是她要表达的全部生命精华和情感和记忆——一个女性的一生。

全剧分为春、夏、秋、冬四幕，分别讲述了孔雀诞生、盛年热恋、恋人别离、冬日永恒。这四组名字是我自己起的，除了春夏秋冬，舞剧几乎没有用语言诠释每一幕都在诉说什么。而我从第一幕开始，从“雀之灵”一个无瑕美丽的粉色孔雀诞生，就想到了这个叫安安的女孩。

我看过很多华丽的演出。无论是舞台和音乐，《孔雀》当然美到极致了，但我见过更美的。这一次，我知道我看见的绝对不仅仅是舞台、音乐和舞蹈，我相信我看见了杨丽萍毕生灵魂的样子，我相信她在舞蹈的时候意识中一定闪现了所有打动过她的人生篇章，甚至她热爱的山川河流大地。观众全程都在屏息观看，很多人哭了。我在想：天啊，这就是我们都想要的人生啊，用最爱的方式疯魔地活，活到淋漓啊！率真简单但是极致。这多么令人羡慕，但又多么需要信念和勇气啊！

好几次，我觉得我也要哭了，但旁边座位的两个人却时不时大声说话，唧唧咕咕地打断情绪。同样坐在一个剧场里看着，他们根本不知道他们浪费掉了什么珍宝。也许他们永远都不会知道，就像我们生活里的许多人一样。

第四幕开始的时候，我特别希望安安也在现场，坐在我身边。我猜第四幕是一个哲学话题，因为舞台上只剩下幕天席地的白雪，平静优雅的孔雀，神和时间。我猜这一幕里的孔雀可能是平和了，或者老了，又或者走完了一生。总之音乐舒缓，现场缓慢，洁白的孔雀和神如创世纪里的神和人那样轻轻点动了一下手指，雪花在飘舞，时间在转动，世界向前流淌。这时候舞台上方出现了字幕“生命是永恒的”。

就在看到这行字幕的那一刻，我觉得我应该给安安写信了。对于宇宙洪荒来说，我们都是坐在这剧场里的人，过自己的人生，看别人的人生，有人璀璨淋漓就像那舞台上的人，有人愚钝傲慢就像那大声讲话的人，还有就是我们这样的人，你、我、安安，还有今天没有来到现场的所有趁早党，就像我自己的博客和安安博客里都写过的，大家都默默在自己的效率手册里写下的，对生活满怀期待，渴望淋漓，有过青春爱情但常会失去，那些经历的画面像舞台场景一样亮起又暗下，但我们一直从自己和他人那里，从这世界获得勇气。

无论此刻还是将来，我内心对自己完美状态的期待，就是白雪皑皑里一直安静平和无所畏惧的白色孔雀，一定要无所畏惧；无论此刻还是将来，我希望安安也是。我们每一个趁早党，也是。

给安安写了信之后，我又重新坚信了今天的主题“一粒灵药”。

那么，这粒灵药到底是什么呢？我在上海参加半程马拉松之前，第一次听到首位奥林匹克女子马拉松冠军Joan Benoit告诉我Magic Pill这个词。她说：我们每天都跑10公里，不是训练也不是任务，而是因为我知道它能让我更振奋、更高兴、更明确自己的能力和潜力，充满希望。她还说，每个人都应该找到自己的Magic Pill。趁早精神倡导读书、塑身、体验、活到淋漓，是因为这些事情往往距离Magic Pill更近。无论我们的生命还有三个月，三年，还是三十年，难道不都是有限的吗？三年难道才应该珍惜吗？三十年难道就应该稀里糊涂过下去吗？我们无论现在处于人生的哪个阶段，本质都是向死而生。常说的惜命，就是珍惜仅有一次的生命机会，惜命不是以养生和延长寿命为第一目标，活到淋漓，活够本儿才是真正的惜命。

和安安面临的问题比起来，我们遇到的问题可能都小多了。但每当我们缺乏信念、缺乏权利、缺乏能力、缺乏方法的时候，我们就会开始在潜意识里承认自己的弱小，期待有力量来依赖和拯救。我们期待变身、超能力、魔法、仙女棒一类灵药来改变现实。但是期待外物，始终不是趁早精神。

真正的趁早精神是什么？

趁早精神是：一个人应该有信念、有权利、有能力、有方法按自己的意愿过一生。这当然是个高远的大目标，很难达到。但是只活一次的有限人生里，这是最值得做的事。

那么灵药可以解决的问题是什么？

增强你的信念，增加权利和能力，得到方法。

而在什么样的条件下，灵药会生效呢？需要四个条件：

第一，尝试世间的活法，了解自己的天赋和兴趣，找到这颗药。

第二，倒一杯水。

第三，按时服药。

第四，等待药效发作的时间。

四个条件缺一不可。

今天我们来到这里，后面发言的每个人，都是来告诉大家，她们找到了什么样的药。找到以后，下一次，当你低落、迷惘、痛苦的时候，请给自己倒一杯白水。为什么？因为你要准备吃药了。

记住，是你自己要吃下去，是你自己真正地把药加入自己的身体里，不是别人。

最后，耐心地等待药效发作，这当然需要时间，但是，时间看得见。

今天是12月13日，在1937年，今天是南京沦陷，发生南京大屠杀的日子。有人说我们不该在今天聚会，我觉得恰恰相反，我们就应该在今天聚会，在今天彼此鼓励和见证。对国家来说，落后就会挨打；对个人来说，软弱就无法把握命运。我们常说，少年强则国强，今天我们要说，女性强则国强！因为我们会成长为人格独立完整的人，我们会为这个世界贡献智力与天赋，我们会成为这个世界的另一半人也就是男性的伴侣和妻子，我们还会成为妈妈，抚育和教育整整一代人。穷则独善其身，达则兼济天下，我们至少要做到搞得定自己，最好还要能罩得住全家！

再次感谢大家的时间和精力，感谢大家从全国甚至世界各地来到这里，我知道，大家不是为我而来，而是为每一个人自己而来。让我们找到那粒灵药，让我们走得更远，尝到更多，爬起跌倒，好好活过，不辜负这一场！

Ⅳ. 遗愿清单

「 酸也是明确的味道，有味道永远胜过没味道。 」

五年前，一位前辈看了我刚出版的第一本书，指点说：好是好，但写得太实在。人生能有多少故事，你一下写了二十四个。你应该写十二个干货，掺十二份水，这样另外十二个可以出下一本。现在我觉得，只要往前走，就会遇到危险，体验摔倒，生活就永远不缺故事，但生活是无法掺水的。我的文字水平虽然至今依然停留在归纳和提炼已知生活，但只要我还想归纳和提炼，故事就常有；尤其是坏故事，一旦交了学费，心得反而深刻、准确、常新。

这本书的写作绵延了三个月，穿过了 2015 年的第三季度。如果把年度个人重要事件排序，本年度的各种事件竟然都集中发生在第三季度，就像之前的耕种，无论酸甜，在秋天总要结出果实：“趁早”完成首轮融资，我写了《创业七年》；卸任《时尚 COSMO》主编，我整理出卷首语；问问进入幼儿园，我写下《她是我的决定》；养了五年的流浪猫去世，我写了《黑猫少女》；2016年趁早效率手册面世，我写了《一生的计划》；办公室搬家，我写了《安家记事》；和叶先生相遇八周年，我写了《最深的懂》。

按说写作要凝神专注，但我选的生活总无法具备岁月静好的写作心理环境——如果白天吃个甜果子，晚上当然可以愉快地写上三千字，但如果白天吃个酸果子，晚上只好回味着酸味写上三千字。酸也是明确的味道，有味道永远胜过没味道。

现实生活是一个原点，终极理想是另一个，以我本阶段的格局，只能做到来来回回在这两点之间记录和抒发。当初写“要么旅行，要么读书，灵魂和肉体，至少有一个在路上”这样的句子，就是为描述朝向终极理想路上的某点，因为旅行和读书通常是通向那点最接近的手段。还有另一种手段，可遇而不可求，通常是高峰体验，是一刻圆满和一刻空无，或是愤怒和狂喜，或是濒临疯、濒临死。人们为追寻它们找到一个方法，就是预先写入 Bucket list，遗愿清单。

如果不是今天白天突然吃了一个威士忌味儿的果子，我不会写现在这篇。按照计划，第三个季度过完，“十一”假期之后，这本书要高高兴兴地交稿了。

假期之前我想，不，我哪儿也不去，我要闭关写完新书的十万字，让时间有价值。无论朋友圈正在展览热气球还是极光，我都执着平静。然而，今天看到一个家伙刚用了四十二小时登顶乞力马扎罗山，我掀了桌。我按照眼下这点破事儿孜孜不倦写了一本书，却差点忘了一个人的 Bucket list 可以有多么狂野！想象可以有多狂野，体验就敢到达什么边界。

“乞力马扎罗对登山者的登顶建议是最少四天，这是针对正常人的，但我不是正常人啊。” 这个疯子朋友在微信里对我说，“差点没有回来。” 我盯着这几句话看着，想着这家伙只比我早出生一天，但他在我吃吃睡睡写写的四十二小时后登顶那刻，到底是经历了一刻圆满还是一刻空无？我又盯看了一会儿他发出的下山喝啤酒图，想我大概毕生都无法体验，他活着下山后，喝到第一口乞力马扎罗牌啤酒的瞬间。

“Cheers！干了这瓶狂野！”我恶狠狠地在微信里写道，“我现在就更新我的 Bucket list！”

“嗯，天台俯瞰，临终假想，追悼大会。”我的疯子朋友说。

天台俯瞰、临终假想和追悼大会，是我和这朋友讨论出的三个 Bucket list 方法论。使用这三个方法之前，首先要确认一件事——你需要真正知道，此生此世是有限的。你的生命短暂，并极有可能比你自己想象的还短暂，也许还剩一天、一个月、一年、十年。

▸ 天台俯瞰

上帝视角。你不是你，你是一个在高处从时间和空间维度纵览你自己一生的人。回忆你之前的爱恨情仇，那些悲痛和狂喜，无法入睡的漫长黑夜，那些充满希望和绝望的等待。然后，你想象自己仁慈悲悯，登上云层中的天台，俯瞰奔波失神的你自己，过去的今天的，也俯瞰奔波失神的你的亲人，以及奔波失神的伤害过你的人们。你的一生变成一部电影或小说、传记，前半段已经演完，后半段里，你想要什么情节，是平淡还是跌宕？喜剧还是悲剧？当仁慈悲悯的你站在天台，你会发现，如果以结局来论，每个人都最终是悲剧，一切得到都将失去，一切繁盛都将衰败。那么好，你已知最终都是悲剧，你甚至做好准备看着自己失去和衰败，你依然需要去设计那些可以失去和衰败的东西。这时候你发现，当一生的意义指向体验，人与人连失去和衰败都是有区别的。为了体验的丰沛，你需要预先积蓄些得到和繁盛，那么，你希望积蓄哪些具体的得到和繁盛，就把哪些写进 Bucket list。

睁开眼，停止想象，你又变成了常常奔波失神的凡人。

▸ 临终假想

弥留视角。你已至暮年，八十岁或者九十岁，你只剩最后一分钟的清醒与力气，这些清醒与力气全用来在意念中播放临终弥留的 Flash back。Flash back，就是意念图像回顾的最后若干帧，是漫长一生中重要时刻。现在，你就可以闭上双眼，回忆你之前的半生中，哪些时刻值得写入 Flash back，让你有信心在弥留时依然回放。在回顾中，你会发现，我们经历了很多跌宕悲欢，最后剩下的大概只有几帧。你会在回顾假想中，重新发现自己的价值体系，那些珍惜的重要时刻与人。那么，在你假想结束，睁开眼睛后的未来，在未来将要去到的地方和见到的人中间，如果你继续自己的价值体系，你就可以判断出谁是那几帧，其他则是浮云。如果你已经幻想出了未发生的若干帧，把这些画面图景的具体描述写进

Bucket list，因为这是你要的一生。

睁开眼，停止想象，你又成了生机勃勃的年轻人。

▶ 追悼大会

灵异视角。你是你的魂魄。现在，你可以想象你的葬礼，当然按照咱们的文化背景应该叫追悼会。你的遗体躺在你斜前方的棺木里，请你在意念里挑好一张最满意的照片黑白打印出来，镶嵌在黑色镜框里，摆放在灵堂正中，其余鲜花陈列背景音乐等可自行参考影视剧。你需要继续想象在你已知的世界里，追悼会上谁会来，多少人来，你希望谁来，你希望谁长久地凝视你的遗像，谁的哭泣最让你心碎。最重要的部分，是你要充分想象追悼会上被公开朗读的"亲友评价"和"终身成就"，在想象里，你甚至会发现你更重视"亲友评价"还是"终身成就"。把你想象中理想的公开朗读稿逐条梳理，无论你想做怎样一个人，完成怎样的事，都已经被写入那里，把它们按条目写进 Bucket list。最后，请飘到你的墓碑前，想象你墓碑上的一行字，那应该是你对自己的终极期待。我墓碑上的字是"这个人，按照自己的意愿过了一生"。

然后睁开眼，停止想象，你又活了一次。

不得不说，这三个方法不仅是好用，还会让人重新爱上生活并为之热泪盈眶，你会在全情想象的时候，惊讶地发现活着本身是如此值得庆祝，而我们竟然是如此年轻，还有很多机会去到任何地方，做成任何事，成为任何人！ Bucket list 的意义不在于 Bucket list 本身，是写下和实现每一个条目之后，突然感觉到的热血涌动；是穷尽一生，做到你此刻的极限；是极限的不停拓展，不停止做出想象和尝试。人需要尽力、专注、坚韧，人有限制，但那必须是想象被执行后所达到的限制。在做完三种想象写 Bucket list 的时候我发现，我们的日常，都是在进行生存的庆祝工作与死亡的准备工作而已。

可以想见，在今天，坦桑尼亚的下午，我的疯子朋友喝着啤酒，微笑着在他的 Bucket list 上“乞力马扎罗登顶”前面的方框里打了一个钩。

“你最近的一条 Bucket list 是什么？”他问我。

“出版第五本书。”

“那也很快就可以打钩了！”

“Dream big！我也好想要这样跌宕起伏差点死了的人生啊！”我内心弱弱地喊道。

“遗愿清单的条目哪有优劣高低，万象万形。”

哄睡了女儿，敷了治疗皮肤过敏的面膜，泡了红茶，一尝不够甜又加了点糖之后，我含泪写了三千字，为这本书增添了一篇重要的文章。

敷面膜的时候，突然想起皮肤科医生说过，皮肤过敏要多睡觉，避开热环境，尽可能保湿，少辛辣和酒。她又说，即使以上都做到了，跌宕起伏的生活，也容易过敏，因为内心就是辛辣和酒，刺激啊。最后她说，老了也就好了。

不，我觉得，一辈子活尽兴，老了才会好。

后 记 /

谜底揭开前

大学毕业后在央视新闻播音组，德高望重的邢质斌老师突然有一天问我：“你知道人每天每天地都在图什么吗？”我摇摇头表示不知道。她说：“就图个盼头儿。”她又说：“岁数大了，盼头儿就越来越不容易有了。”说这话的时候，她五十多岁了。

她这话我一直记得。现在，我开始懂了。

七年前，当我写下《写在三十岁到来这一天》的时候，还不知道蝴蝶效应的奇妙作用。那天下午，我打开电脑敲击键盘写下了一篇文章，我认为那只是一个偶然事件。然后，蝴蝶振动了它的翅膀，那力量到今天一直穿越渗透了七年。

因为那篇文章，在七年中，我写过四本书，现在这一本是第五本。又因为这几本书，我去到了很多地方，见到了很多人，也经历了很多事。现在，站在时间节点上回望的时候，一切又都像是必然事件。

多了七年更密集的生命历程，再来看我写过的旧文字句，大部分依然认同，但发觉同样的了悟，那时的我叙述的语气真是冰冷又决绝，就像一个人初入肃杀之地，恨不得每一次出门都披上大衣抵御寒冷。但他只是见识了冷，认清了冷，又横下一条心面对了冷，却还没进化出厚重的皮下脂肪。当他真正适应和安顿下来，从中体验出经验和妙处，再让他来描述冷，他也许不只会说冷的程度和冷的危害，还能微笑道出那坚冰的形状，以及那雪花如何飘落。对他来说，冷已经不是冷，冷只是常温了。

唯一可惜的是当常温世界到来的时候，又用去了七年。这七年里又用完了七本效率手册，每一个月每一天，每一个事项，竟然这么快就可以被做完，走过，经历，勾选。但是回忆里仍然像一场盛大的自助餐一样，慌忙地吃了这个又奔向那个，每个都在眼前匆匆一闪。只有书上的白纸黑字，证明有些我的确咀嚼过，却都浮光掠影，嫌滋味太浅。

年份只是个计数器，像每一本书，一篇一篇的，吃过玩过激动失意，都翻过去了。当冷变成常温，自助餐吃了许多花样，人总得有那种重大的盼头儿，重要的人，怎么翻也翻不过去的篇章。2016，我一直等待的年份，还有一个多月，马上到来了。

在我做公关公司的头几年，先后有三个客户要求拿走我的生辰八字去请“大师”推算是否“和财”，我虽然不太理解，但是为了单子，都满怀希望地提供了日期，又特意向我妈问了时辰。有意思的是，三个客户都带回了一样的信息——他们在聊完和财结果后，会加上差不多的一句话：“大师说，你会起一个大运，挺大的，从 2016 年。”

第一次听，笑一下过去了；第二次听，心想咦怎么也这么说；等到连第三个人也言之凿凿地提到同样的年份，我开始希望 2016 年的大运是真的。

因此，大概从 2006 年开始，我就默默期待 2016 年的到来，但不好意思对外人说。因为我是一个依据唯物主义认知长大的人，信天赋、信努力、信时间累积的力量，特别知道“我命由我不由天”，一直没敢信过命运。除了电影里的大神先知和玄学的小道消息，我也没见科学论证过算命可以预言任何人与事的发展。对于 2016，我真正确信的一点是，人与事发展到那一年，一切肯定都会“不一样”，但又无法知道，到底以什么方式呈现出多么巨大的“不一样”，才算是“起大运”。

更重要的是，我特别好奇，如果从 2016 年倒推到此刻，我到底需要在什么方向做出什么样的准备，才能让人生阶段酝酿出“大运”啊？比如写东西的时候，我会猜难道作品会变得很红？公司团队开会，我会猜难道下一年就增长十倍？给效率手册选颜色，我会猜难道手册会变成知名文创品牌？每一个方向好像都在闪闪发亮，猜未来，成了一个很好玩很神秘的游戏。

在这将信将疑的十年中，每当旧的一年结束，我都会刻意计算距离 2016 年还有多久；每当新一年开始，我也都会以 2016 年许愿：“我会用好自己的天赋，我会努力的，请给我努力之后的运气。”

我不知道大运到底会不会来，但 2016 年让完全苍茫不可知的未来，有了一个精确具体的时间节点。有了节点，我就可以从等待它发生，变成尽量创造条件让它限时发生。就这样，在2016年到来之前的每一年、每一月、每一天，我都在计划未发生，记录已发生，不停地做功课然后想象，再做功课再想象，等时间去兑现下过的订单。

现在，2016年就在眼前了，我有点儿害怕，有点儿激动。因为太多次想象过2016年世界的样子，我生活的城市的样子，我周围的人们、我的事业与家庭，甚至具体到房间的布局，细节到大家畅饮的样子——怕不能实现，怕超乎想象地实现。

这本书是写给还认为生活充满盼头儿的人的。这些人就像我的当年，也像我的现在，每天活在期待里，等惊喜，赌明天，相信自己还活在巅峰之前。在这书里写下的所有思路和故事，无论喜悦还是失望，都曾被我拿来体验，也被我拿来兑换。在重新叙述的过程中，我们会发现，无论是哪一天哪一瞬间，一切都留下了痕迹，而大大小小编织相连，才构成它在整个人生图景的意义。过去的故事告诉我们，最激动人心的时刻，全都在未来，全都在谜底揭开前。对我，它是2016年；对你，它就是现在。

附录 写下你一生的计划

这里是本书第一节“一生的计划”中，我一直使用的计划框架，也是趁早效率手册的核心设计思路。每一年、每一月、每一天的目标与事项，都是一生的计划倒推后的落实。

SHAPE YOUR LIFE

一生的计划

As long as you are dreaming, believing and doing, you can go anywhere and achieve anything.

这个计划是我自2002年建立在我电脑里的word文档，如果你是第一次填写，建议完成后在电脑里也建立这个表单，随着成长，时时更新；如果你早已是趁早效率手册的忠实拥趸，相信你已经拥有一套自己的一生计划，现在就把它的最新版誊写到趁早手册上吧！

最初建立时间 ________ 年 ______ 月 ______ 日

如果这是你第一次把你的愿望用文字全面呈现，那么这一天就是你人生中的历史时刻

最后更新时间 ________ 年 ______ 月 ______ 日

这一条适合在电脑中填写，愿望可以一直更新，很多年以后，当你再拿来和最初建立时做比较，你会看到奇迹

这个人生计划为期 ________ 年　实现期限是 ________ 年 ______ 月 ______ 日

量化你的愿望，一切事务都有期限，写下你心中的期限。

下面，让我们完成人生计划表吧！

■ 我生活中的优先级要素

在你价值观系统的基础上，确立你所有事务的优先级。即，在有限的生命中，什么对你是最重要、最宝贵的。这有利于在未来面临抉择时，保持头脑清醒

参考 : 家庭 / 健康 / 自由 / 事业 / 朋友 / 学习 / 旅行

1. ____________________
2. ____________________
3. ____________________
4. ____________________
5. ____________________

■ 我想成为一个什么样的人

闭上眼睛，想象理想中的你自己和人生状态，然后用你能想到的形容词描述出来

参考 : 优雅美丽 / 清醒平衡 / 真才实学 / 不熄的灵感 / 懂得爱 / 拥有爱

1. ____________________
2. ____________________
3. ____________________
4. ____________________
5. ____________________
6. ____________________
7. ____________________
8. ____________________

■ ________ 年后，当这个人生计划期限到达时，

我在 _____ 岁要拥有什么

注意，这里将要填写的一切都是量化的，这是你向你自己下的订单，这一切你都将用你的精力和时间去兑换，因此所有内容要尽量具体

家庭 ________________________________

事业 ________________________________

外貌 ________________________________

教育 ________________________________

收入 ________________________________

旅行 ________________________________

■ 为了以上的计划实现，我将持续做的事

以上大计划向下拆解，落实到每天，你要为自己重新规划生活概貌。不积跬步无以至千里，点滴努力正是趁早手册的精神，这里填写的生活方针将落实到 365 天，当你的理性控制自己的欲望，你会有一种非常有力量的感觉

1. 起床时间 ______________ 起床，在效率手册写下一天计划
2. 学习内容 ________________________________
3. 睡觉时间 ______________ 睡觉 / 睡前阅读 ________ 分钟
4. 健　身 ________ 次 / 每周
5. 理想体重 ________ 公斤
6. 美容保养 ________________________________
7. 家务劳动 ________________________________
8. 理财计划 ________________________________

■ 职涯

我将会从事的领域 ______________________

我将会拥有的职位 ______________________

■ 学业

我将会取得的证书或资质 ______________________

我将会掌握的技能 ______________________

■ 我的人生大事年表

纵观自己的前半生，是在以怎样的节奏前进。按年代回顾，填写每一年中使你转折的事件与节点。再写下 2016 年你期待发生的转折点，这些点组成了你的整个人生

2012 年 ______________________

2013 年 ______________________

2014 年 ______________________

2015 年 ______________________

2016 年 ______________________

■ 我一生会去旅行的地方

写下你想去到的整个世界

已实现的地方 ______________________

将要去的地方 ______________________

■ 我一生将做的若干件事

写下你的终极梦想，用一生矢志不渝地去实现。记住啊，只有在死亡之前，我们才可以说我们的梦想破碎了

附录 | Bucket List

这里是本书最后一节“遗愿清单”中描述的清单示例。

开列清单条目有两个原则：

1. 我们只活一次。

2. 活时尽兴，去无所羁。

SHAPE
YOUR LIFE

Bucket List

"People just associate it with dying.

They don't realize it's actually a way to live."

10 TIPS for Your Bucket List

- TAKE YOUR TIME 慢慢来

不用急着一次填满，给自己沉淀和静下心来思考的时间，可以带在身边，陆续加入新的条目。

- THINK OUTSIDE THE BOX 天马行空

可以大胆一些，甚至天马行空，想得太疯怕什么，你有一辈子。

- DIVERSIFICATION 缤纷多样

提到 Bucket List, 10 个人里 9 个立马想到的都是关于旅行。不过拜托，除了看看这世界，你还有很多事情可做：兴趣、技能、体验、情感、挑战、拥有……

- EASY VS HARD 由简入繁

相对简单的事给你投身开始的动力和养成习惯的势能，投入之后你会发现一步步真的停不下来！

- ASK FOR ADVICE 寻求建议

这会是一个深入了解彼此的好话题，看看别人的清单会有哪些惊喜，或许能给你自己的清单一些灵感。

10 TIPS for Your Bucket List

- SHARISM 分享

让更多人知道你在做的事，新鲜感逝去后你仍会有责任和动力。简单讲，分享可以提高实现的可能。

- DEADLINE 截止日

40 岁前完成这个清单？还是每年完成其中 5 件？没有时间规划的目标就像空头支票，现在不开始，就永远不会开始。

- SPECIFIC & BROAD 具象或抽象

可以具体到某年某月某件事，也可以设定一些模糊目标，比如“亲眼见证奇迹”，这“奇迹”可能是任何事。

- TAKE PHOTOS 拍照留念吧

用照片记录下你完成的每一项，它们将是你生命中最重要的记忆片段。"Die with memories, not dreams."

- ENJOY! 享受过程！

不需要有压力，不需要想太多，这份清单只是对你所期待未来人生的梳理，想清楚之后，你需要做的只是去享受。

VISIT 我要去……

Every continent
七大洲

Glowworm Caves
萤火虫洞

Cinque Terre
五渔村

Galápagos
加拉帕戈斯

Machu Picchu
马丘比丘

An active volcano
一座活火山

Key West
基韦斯特

Lapland
拉普兰

Ushuaia
乌斯怀亚

Other planets
外星球

KISS 我要亲吻……

Underwater
在水下

Under the Eiffel Tower
在艾菲尔铁塔下

In the rain/snow
在雨天/雪天

Under fireworks
在烟花满空时

A stranger
一个陌生人

At midnight on New Year's Eve
在跨年午夜

Someone famous
名人

A dolphin
海豚

On top of a ferris wheel
摩天轮最高处

The most beautiful boy/girl in the world
世界上最漂亮的男孩/女孩

OWN 我要拥有……

My own business
自己的事业

A house by the lake
湖边小屋

My dream car
最爱的一款车

Walk-in closet
步入式衣帽间

A pet for its entire ife
陪它度过一生的宠物

A perfect little black dress
一件最合身的小黑裙

An RV
房车

A horse
一匹马

A helicopter
直升飞机

A home library
私人图书馆

LEARN 我要学会……

A second language
至少一门外语

An instrument
至少一件乐器

CPR
心肺复苏术

Skiing
滑雪

Sing Karaoke
唱歌

Get a PhD
博士学位

Photography
摄影

Dance
跳舞

Make brilliant speeches
演说

Get along with parents
和爸爸妈妈相处

SEE 我要看……

A meteor shower
流星雨

Cappadocia sunrise from a hot-air balloon
在卡帕多西亚乘坐热气球等待日出

Turtles hatch and run for the ocean
小海龟的孵化、爬入海洋

The sunset at the beach
沙滩日落

100 Greatest movies on IMDB
IMDB史上排名前100的电影

The fireworks at Disneyworld
迪士尼梦幻世界烟花派对

My favorite band's live show
最爱乐队的现场演出

A broadway show
百老汇演出

Shakespeare at the Globe
莎士比亚环球剧场的剧作

My baby taking his/her first step
宝贝的第一步

SPEND 我要这样度过……

A night in an underwater hotel
一晚深海旅店

A day blind
一天感受黑暗

A week on the African Savannah
一周飞奔非洲大草原

An entire day in bed
窝在床上一整天

Christmas in London
在伦敦过圣诞节

An entire day watching movies with friends
小团体电影马拉松

New Year's Eve in Times Square
在时代广场跨年

A month at sea
一个月海上航行

A gap year travel around
间隔年旅行

A night under the stars
一夜幕天席地

TRY 我要尝试……

Bungee jumping
蹦极

Skydiving with friends
小团体跳伞

Road trip with friends
小团体公路旅行

Rock climbing
攀岩

Perform on stage
在舞台上表演

Scuba diving with giant turtles
和大海龟一起深潜

Marathon
全程马拉松

Write a song
写一首歌曲

Write a book
出版一本书

A romantic dinner with him/her
浪漫晚餐

RUN 我要奔跑……

Mud run
泥地跑

Color run
彩色跑

Into someone's arms
某人的怀抱

Through a fountain
穿过喷泉

New York City Marathon
纽约马拉松

100km ultra-marathon
100千米超级马拉松

A race with my husband/wife
与老公/老婆赛跑一场

Down hill in a zorbing
太空球

In the forest
在森林里

With the bulls in Spain
西班牙奔牛节

READ 我要阅读……

1,000 books
1000本书

All of Shakespeare
莎士比亚所有作品

A book with more that 200 pages in 1 day
一天内读完一本200页以上的书

All the books I own
现在我所拥有的所有书

The same book with my partner
和另一半读同一本

In one of the greatest libraries
在世界上最棒的图书馆之一

Who's Who in the World
《世界名人录》

Four Great Classical Novels
中国四大名著

All of the Harry Potter books
《哈利波特》全集

Shape Your Life
《按自己的意愿过一生》

FIND 我要找到……

A four-leaf clover
四叶草

The Northern Lights
北极光

My soulmate
灵魂伴侣

My bosom friend
知己

A couple of friends forever
自己的同频率小团体

The end of a rainbow
彩虹的落脚点

The perfect wedding dress
完美的婚礼礼服

The greatest passion in life
生命中热情所在

Alien
外星人

The love of my life
一生至爱

果麦 更好的精神食粮

按自己的意愿过一生

产品经理｜胡 彬
媒介推广｜俞乐和
后期制作｜顾利军
责任编辑｜金荣良
装帧设计｜裴峰南
特约印制｜刘 淼
策 划 人｜路金波

新浪微博：@果麦文化 微信公众号：果麦文化

图书在版编目（CIP）数据

按自己的意愿过一生 / 王潇著 . —— 杭州 : 浙江文艺出版社 , 2016.1
ISBN 978-7-5339-4360-8

Ⅰ . ①按 … Ⅱ . ①王 … Ⅲ . ①女性—成功心理—通俗读物 Ⅳ . ① B848.4-49

中国版本图书馆 CIP 数据核字 (2015) 第 281775 号

责任编辑：金荣良
特约编辑：胡　彬
装帧设计：裴峰南

按自己的意愿过一生
王潇 著

出版　浙江出版联合集团
　　　浙江文艺出版社

地址　杭州市体育场路 347 号　　邮编　310006
网址　www.zjwycbs.cn
经销　浙江省新华书店集团有限公司
印刷　北京华联印刷有限公司
开本　700mm×1000mm　1/16
字数　100 千字
印张　14.5
版次　2016 年 1 月第 1 版　　2016 年 1 月第 1 次印刷
书号　ISBN 978-7-5339-4360-8
定价　39.00 元